MIDNIGHT EXPRESS

BILLY HAYES
avec la collaboration de William Hoffer

MIDNIGHT EXPRESS

FRANCE LOISIRS
123. Boulevard de Grenelle, Paris

Titre original :

Midnight Express

Publié par E.P. Dutton

Traduction de Danielle Michel-Chich

Edition du Club France Loisirs, Paris
avec l'autorisation des Presses de la Cité

ISBN: 2-7242-3264-X

CHAPITRE 1

L'aéroport international Yesilkoy est situé en pleine campagne, à une trentaine de kilomètres d'Istanbul, non loin de la côte. C'est là que chaque jour, à midi, le vol Pan American numéro un en provenance de Téhéran fait une brève escale avant de reprendre sa route vers New York via Francfort et Londres. Le 6 octobre 1970, abrité, comme dans les romans policiers, derrière de grandes lunettes noires, le col de mon imperméable relevé, je regardai l'appareil se poser sur la piste puis je rabattis le bord de mon chapeau sur mes yeux et m'approchai, en rasant le mur, de la porte d'embarquement.

Un petit homme replet, de trente-cinq ans environ, me bouscula et posa sa valise sur la balance. Une belle hôtesse brune étiqueta son sac de voyage, tamponna son billet et le dirigea vers le contrôle de sécurité : il s'éloigna en rougissant sous l'effort. Un douanier turc vêtu d'un uniforme défraîchi vérifia sans enthousiasme le contenu du sac et jeta un coup d'œil au passeport du voyageur. Puis, sans poser sa cigarette, il lui fit signe de passer et le petit homme trapu disparut à l'intérieur du hall de la Pan Am.

« Parfait, pensai-je alors. Tout a l'air très simple. »

Je décidai donc d'acheter un billet pour New York pour le lendemain avec mes derniers dollars. Après une hésitation, je renonçai à assister au départ de l'avion : pourquoi donc prendre tant de précautions ? Le dispositif de sécurité de cet aéroport ne semblait guère sérieux et je me dis qu'en me hâtant, je pourrais arriver à l'heure au *Pudding Shoppe* pour mon rendez-vous avec cette jeune Anglaise que j'avais rencontrée le matin et qui prétendait être à Istanbul pour apprendre l'art de la danse du ventre. Peu m'importait d'ailleurs que son histoire fût vraie ou fausse ; je voulais simplement de la compagnie avant de me lancer dans l'aventure du retour. Cet après-midi, ce soir, demain : j'imaginais ces moments comme les scènes d'un film dont j'étais, malgré une légère appréhension, le héros.

J'escamotai la dernière demi-heure de mon programme et sautai dans un taxi : tant pis pour le vol de la Pan Am numéro un.

Le *Pudding Shoppe* était devenu mon quartier général au cours de ces dix jours passés dans la métropole turque. Partout en Europe, j'avais entendu parler de ce café où les hippies se retrouvaient et, malgré mes cheveux courts et mon allure très nette, j'aimais venir me mêler à la faune cosmopolite de cet endroit.

Je m'installai à la terrasse, au milieu des habitués bruyants, et commandai un thé à la turque en attendant la fille. Des mendiants et des colporteurs sillonnaient la foule colorée. A l'odeur des brochettes vendues sur le trottoir se mêlait celle du crottin de cheval qui encombrait les caniveaux. Un gamin des rues s'approcha en traînant un énorme ours muselé. Au milieu de cette agitation, je pensai avec angoisse et excitation au danger qu'il me faudrait affronter le lendemain.

La jeune Anglaise qui étudiait la danse du ventre ne vint pas. Peut-être aurais-je dû tenir compte de ce présage.

***

J'arrivai en avance à l'aéroport et allai m'enfermer dans les toilettes. Je soulevai mon gros pull-over à col roulé pour vérifier que tout était en place. Un coup d'œil à ma montre m'indiqua que l'heure approchait. Tout se passerait bien : j'avais tout vérifié la veille.

Je fermai les yeux un instant pour me détendre puis inspirai profondément, sentant le sparadrap se tendre sur ma poitrine. Je sortis des toilettes en prenant l'air normal. Je ne pouvais plus reculer.

Derrière le comptoir, je reconnus la jeune hôtesse brune et souriante.

— Bonjour, monsieur Hayes, dit-elle avec un accent prononcé en regardant mon billet. C'est par là, s'il vous plaît. Bon voyage !

Elle m'indiqua le couloir que j'avais longuement regardé la

veille. Le même douanier blasé attendait au contrôle. J'évitai de regarder le revolver qui pendait à sa ceinture.

— Passeport, me demanda-t-il.

Il regarda rapidement le document que j'avais sorti de la poche de ma veste.

— Votre sac, m'ordonna-t-il.

J'ouvris mon bagage à main. Il écarta les livres et en retira une assiette en plastique blanche.

— *Nebu ?* me demanda-t-il.

Je savais, pour avoir déjà entendu cette expression, qu'elle signifiait : « Qu'est-ce que c'est ? »

— C'est un frisbee.

— *Nebu ?*

— Un frisbee. On le lance en l'air et on le rattrape. C'est un jeu.

— Aaah ! dit-il en rangeant le frisbee dans mon sac pour en ressortir une petite balle jaune.

— C'est une balle pour jongler, expliquai-je.

Il me jeta un regard renfrogné puis me fit signe de passer. Pendant tout ce temps, il avait gardé sa cigarette aux lèvres.

Au bout du couloir, j'arrivai à un escalier en bas duquel se trouvait la salle d'attente des passagers, le havre signifiant que j'avais franchi la douane et que j'étais à l'abri du danger.

Une hôtesse me proposa une boisson. Je pris un Coca-Cola que j'allai boire dans un coin de la salle, adossé au mur. Pendant une vingtaine de minutes, je fis mine d'être plongé dans la lecture de l'*International Herald Tribune*. Mon plan semblait se dérouler parfaitement.

Je fus dérangé dans mes pensées par une voix féminine qui annonçait au haut-parleur, en turc et en anglais, que l'embarquement était imminent. Je suivis le flot des passagers en direction d'un vieux bus qui nous attendait en plein soleil pour nous conduire près de l'avion.

— Je suis venue voir mon fils, me dit une vieille dame grisonnante.

Elle me raconta qu'elle était de Chicago, que son fils était mécanicien d'avion, qu'il faisait le tour du monde, qu'il venait de devenir chef. Je lui souris ; elle me faisait penser à ma mère. Puis je fermai les yeux et tentai de concentrer mes pensées sur Sharon, cette fille que j'avais rencontrée à Amsterdam et que je voulais retrouver aux États-Unis. Je me sentais bien.

Le bus s'arrêta. Tous les passagers prirent leurs sacs. Le

chauffeur actionna un bouton pour ouvrir la porte avant du véhicule. Un policier monta à bord.

— Attention, dit-il en anglais. Les femmes et les enfants doivent rester dans l'autobus. Que tous les hommes sortent par la porte arrière, s'il vous plaît.

Je jetai un coup d'œil à travers les vitres sales. Le bus et l'avion étaient entourés de barricades de bois liées par des cordes ; une vingtaine de soldats turcs, mitraillette au poing, cernaient l'endroit tandis qu'une longue table en bois, à laquelle s'adossaient tranquillement des hommes en civil, barrait l'accès à la passerelle.

Pendant quelques secondes, j'eus l'impression de faire un mauvais rêve. Je tentai de rester calme et de penser à un plan précis.

Dans le bus, quelques personnes protestèrent ou prirent peur. Tous les passagers de sexe masculin obtempérèrent et sortirent par la porte arrière. Je me mis à genoux et me glissai sous le siège.

— Que se passe-t-il ? me demanda ma voisine. Vous ne vous sentez pas bien ?

— Je... Je ne trouve pas mon passeport.

— Mais le voici, me dit-elle avec un sourire radieux en me montrant la poche extérieure de ma veste.

Il était là en effet, prêt à me précipiter dans ces difficultés que j'avais réussi à éviter depuis des années. Je n'arrivais pas à croire que ce plan que j'avais si méticuleusement établi allait s'effondrer. Moi qui pensais avoir envisagé toutes les éventualités, être trop futé pour me faire prendre ! Et dire que j'avais passé des contrôles de douane partout en Europe sans aucun problème ! Je tentai désespérément de garder la tête froide en faisant quelques inspirations profondes avant de remercier, d'une voix que j'espérais assurée, la dame de Chicago et de sortir du bus.

Je me trouvais en queue du groupe de passagers qui se séparait en deux files passant de chaque côté de la table. Je jetai un coup d'œil autour de moi sans pouvoir trouver un abri, ni même un trou pour me cacher. Il allait me falloir beaucoup de chance.

Deux officiers en civil, postés de chaque côté de la table, fouillaient les passagers qui se bousculaient un peu. Je retirai quelques livres de mon sac et attendis que le policier de gauche soit occupé à fouiller un passager. Je me glissai alors devant lui en franchissant la file d'attente. Le second était toujours occupé avec quelqu'un d'autre. Puis je remis les livres à leur place comme si je venais d'être fouillé et me dirigeai vers l'avion. J'approchai de la passerelle d'embarquement et je levai un pied au-dessus du sol turc lorsqu'une main me frôla puis me saisit par le coude.

Je me retournai et indiquai, d'un geste que j'espérais naturel, le premier policier qui, à cet instant précis, leva les yeux vers moi.

— *Nebu ?* demanda l'homme sans me lâcher.

Le premier policier lui répondit en turc. Sa main se fit alors plus dure autour de mon bras. Il venait de comprendre que je lui avais menti.

Il grommela un ordre et me fit signe de lever les bras, puis me tâta soigneusement le corps en commençant par le haut : ses mains passèrent sous mes aisselles sans s'arrêter, pour descendre le long des mes hanches et de mes jambes. La fouille cessa brusquement.

« Mon Dieu, faites qu'il s'arrête là. Faites qu'il ne repasse pas ses mains sur mon corps. »

Mais lentement, il me refouilla de bas en haut, à l'intérieur des jambes et tout autour du ventre. Du bout des doigts, il tâta l'énorme grosseur sous mon nombril : je parvins à rester impassible et, une fois encore, contre toute attente, il ne remarqua rien.

Mais il poursuivit sa fouille inéluctable. J'étais totalement à sa merci. A l'instant précis où ses mains se posèrent sur les sachets fixés au sparadrap sous mes bras nos regards se croisèrent. Il fit un bond en arrière et saisit son revolver, puis s'agenouilla et pointa d'une main tremblante le canon sur mon ventre. Tout autour de moi, j'entendais les cris des passagers qui se bousculaient pour se protéger. Les bras en l'air, je fermai les yeux et tentai de retenir mon souffle.

Un silence de mort s'abattit sur l'aéroport international Yesilkoy. Cinq secondes s'écoulèrent, peut-être dix, qui me parurent interminables.

Puis une main souleva mon pull et je sentis un canon de revolver sur ma peau. J'ouvris alors un œil pour voir le jeune policier se pencher pour me fouiller. Ses gestes étaient lents et prudents tandis que, derrière lui, des soldats pointaient leur mitraillette sur moi. D'une main tremblante, il dégagea l'un des

11

sachets, s'arrêta un instant puis remonta mon pull plus haut encore.

Son visage se décrispa, je le sentis se détendre. Il n'avait trouvé ni bombe, ni grenade, ni charge de dynamite sous mes vêtements. S'ensuivit un flot de paroles en turc dont je ne saisis qu'un seul mot, « haschich ».

L'avion de la Pan Am s'éleva dans le ciel limpide. En le regardant s'éloigner, j'eus soudain la nostalgie de New York et je ne pus m'empêcher de me demander quand je reverrais cette ville.

CHAPITRE 2

Les douaniers m'escortèrent jusqu'au terminal dans le même bus vieillot. Ils me poussèrent à l'intérieur d'une petite pièce attenante à la salle d'attente. Plusieurs d'entre eux prirent place en face de moi, allumèrent une cigarette et se mirent à bavarder entre eux. Leur chef s'assit derrière le bureau et donna quelques coups de téléphone. Aussi étrange que cela puisse paraître, ils faisaient à peine attention à moi.

Que se passait-il donc ? Mon plan avait échoué puisque j'aurais dû alors me trouver dans l'avion en route pour New York. Comment avais-je pu me faire prendre ? Devrais-je vraiment aller en prison ? En prison ! Non, pas moi.

Les Turcs étaient si lents et si peu organisés que je me sentais gagné par l'impatience. Je voulais qu'il se passe quelque chose, même si cela ne devait pas m'être agréable. Le chef reposa enfin le combiné et me fit signe d'approcher. Il me dévisagea longuement puis s'adressa à moi en cherchant péniblement ses mots.

— ... Nom ?

— William Hayes.

— Vil... Vilyom... Vilyom...

— Hayes.

— Ricain ? demanda-t-il en notant mon nom sur un papier officiel.

— Oui, de New York.

— New York, New York, répéta-t-il d'un air étonné. Ah ! Nev York !

Il nota cette information et m'offrit une cigarette en souriant. Je n'étais pas fumeur mais j'acceptai son offre par désir de

13

sympathiser. C'était une cigarette turque, beaucoup plus forte que toutes les américaines que je connaissais. Je me mis à tousser, ce qui m'occasionna un tiraillement au niveau de la poitrine : il me faudrait veiller à maîtriser ma toux.

Le chef me fit signe de me lever. Deux douaniers vinrent me retirer ma veste, mon pull et mon tee-shirt et arrachèrent les énormes sachets qui étaient fixés avec du sparadrap sous mes bras. Le haschich, tassé en plaquettes épaisses et dures, tomba sur le carrelage.

— Encore ? demanda le chef avec difficulté.

Je fis signe que oui et défis mon pantalon pour lui donner les quelques plaquettes dissimulées sous la ceinture. L'un des policiers s'approcha pour m'aider, mais je tins à détacher le sparadrap moi-même.

Une quarantaine de plaquettes s'empilèrent sur le sol. Ils se rendirent bien compte que je n'étais pas un gros bonnet. Le haschich à Istanbul coûtait moins cher que je ne le pensais. Pour deux cents dollars, j'en avais eu deux kilos qui, vendus à New York, auraient rapporté environ cinq mille dollars ; mais je n'avais nulle intention de le vendre. Je voulais le fumer moi-même avec mes amis qui, pour la plupart, appréciaient le haschich et la marijuana. Maintenant que mes provisions s'étalaient sur le sol du poste de police de l'aéroport, l'aventure me semblait tourner au désastre.

Un autre policier rondelet, portant une moustache très fine, entra dans la pièce ; le silence se fit immédiatement et l'homme qui m'avait interrogé se leva prestement en faisant un petit salut. Le nouveau chef prit place sur la chaise tandis que le précédent s'asseyait à ses côtés, faisant ainsi se pousser tous les policiers de chaise en chaise.

— Nom ? demanda le nouveau venu.

— William Hayes.

— Vil... Vilyom...

— Hayes, dis-je une fois de plus.

Le même scénario se répéta : alors que le nouvel inspecteur de police examinait le haschich, un autre se précipita dans la pièce. Il semblait lui aussi être un chef et tous les policiers présents se décalèrent d'une chaise, forçant ainsi le dernier à rester debout. Lorsque le nouveau chef me demanda mon nom, je lui désignai la feuille qui se trouvait sur le bureau ; il n'eut pas l'air d'apprécier ma désinvolture.

— William Hayes, dis-je donc. De Nev York.

14

Un quatrième, puis un cinquième chef arrivèrent. Je pus ainsi mesurer l'importance de la hiérarchie en Turquie et le besoin de chacun d'assurer sa position. Un idiot de Nev York qui s'était fait prendre avec deux kilos : voilà qui leur faisait une journée bien remplie. Ce petit manège protocolaire m'arracha un sourire.

La porte s'ouvrit une fois de plus, laissant apparaître deux hommes dont l'un portait un énorme appareil photographique. Ils se mirent à parler avec animation avec le dernier chef arrivé : celui-ci empoigna son premier assistant et me fit signe de ramasser le haschich, ce que je fis avec un certain embarras. Les deux policiers les plus âgés m'encadrèrent pour la photo de chasse : j'étais là, dans cette pièce enfumée bondée de policiers turcs, avec des sachets de drogue plein les bras. Les deux policiers, qui n'étaient pour rien dans mon arrestation, me tinrent solidement par les épaules et sourirent pour la photo. A la fois par réaction nerveuse et parce que je ne trouvais pas cela très sérieux, je souris aussi.

Le chef qui se trouvait à ma gauche m'envoya un coup de poing dans les côtes. Le souffle coupé, je m'effondrai à genoux, laissant tomber les plaquettes.

— *Gel ! Gel !* cria l'un des policiers en me saisissant par le bras pour me faire ramasser le haschich.

D'une main tremblante, je rassemblai les plaquettes avant d'être brutalement redressé. Les deux hommes remirent leurs mains sur mes épaules : mon visage exprimait cette fois la soumission et la souffrance qui convenaient pour la photo.

Les policiers me firent à nouveau jeter le hasch par terre et me poussèrent sur une chaise. La tête me tournait, j'avais mal au cœur et le souffle coupé.

J'attendais le prochain ballet de policiers lorsqu'une idée inquiétante me traversa l'esprit : j'avais encore deux plaquettes de haschich, dissimulées dans chaque botte, que j'avais complètement oubliées. Je savais bien que les Turcs me fouilleraient de fond en comble et qu'ils les trouveraient. Je décidai de prendre les devants.

Dès que je me sentis plus calme, je levai la main. Le chef fit un signe et tous les policiers tournèrent la tête vers moi. D'un geste lent, pour ne pas réveiller ma douleur, je retirai une botte et la secouai pour en faire tomber deux plaquettes. Les policiers hébétés me regardèrent faire la même chose avec l'autre botte.

Un silence gêné s'installa. J'étais en garde à vue depuis plusieurs heures, censé avoir été fouillé de haut en bas et j'étais là maintenant à retirer du haschich de mes bottes !

Le premier policier se retourna vers son voisin et se mit à hurler d'un air furieux. Le second passa sa colère sur le troisième et ainsi de suite. Le dernier chef était fou de rage : il hurla quelque chose à deux des policiers qui étaient au garde-à-vous contre le mur. Ceux-ci se précipitèrent sur moi, me mirent brutalement debout et me déshabillèrent sans tenir compte de mes protestations. Je les assurai qu'ils ne trouveraient plus rien, mais ils continuèrent leur fouille tandis que les autres policiers inspectaient mes vêtements : j'étais nu et très mal à l'aise. Mon séjour en Turquie m'avait permis de constater que la plupart des hommes de ce pays avaient tendance à être bisexuels ; tous les chauffeurs de taxi, garçons de café, marchands ambulants semblaient me jeter des regards concupiscents et là, tout nu devant ces douaniers, je sentais les mêmes regards lubriques et sans pudeur. Je saisis mes vêtements et me rhabillai rapidement.

A nouveau, tout recommença : discussions, coups de fil, cigarette sur cigarette. L'air était étouffant et l'atmosphère irrespirable. Je savais qu'il me fallait sortir très vite de la pièce si je ne voulais pas m'évanouir.

C'est alors qu'arriva un grand type blond et dégingandé vêtu d'un costume civil, de toute évidence américain. Il s'avança vers moi sans s'adresser aux Turcs et me salua avec un accent texan très prononcé.

— Bonjour, répondis-je.

— Ça va ?

Je fis un signe de tête.

Il s'approcha du bureau, s'adressa au chef en turc et signa quelques papiers.

— Bien. Suivez-moi, me dit-il.

Nous quittâmes la pièce, suivis de deux douaniers turcs. L'air pur me ravigota. L'Américain me fit asseoir à l'avant de sa voiture et parla quelques instants avec les Turcs avant de prendre place au volant.

J'étais sauvé ! Ce Texan était venu pour m'aider. Peut-être allait-il m'emmener au consulat américain.

Je sentis soudain combien la liberté était proche : personne n'avait pris la peine de me passer les menottes et j'étais tout seul à l'avant d'une voiture. J'avais l'impression que je pourrais facilement quitter ce véhicule dès que nous serions un peu plus loin, et m'échapper. Je décidai d'ouvrir tout grand mes yeux pendant le transfert.

Lorsque le Texan démarra, je me demandai s'il allait me surveiller de près. Alors que je tournais la tête vers lui, je sentis un objet en métal contre ma tempe : c'était la deuxième fois de ma vie, et de la journée, que l'on pointait une arme à feu sur moi.

— Je suis désolé pour toi, William, me dit-il. Tu as l'air plutôt sympa, mais je dois te prévenir que si tu essaies de t'échapper, je te ferai sauter la cervelle.

— Où va-t-on ? demandai-je.

— Au commissariat de Sirkeci, près du port d'Istanbul.

— Et que va-t-il m'arriver là-bas ?

— Eh bien... on va t'interroger. Ils t'enverront probablement en prison demain.

— Vous travaillez pour Interpol ou dans un machin comme ça ?

— Oui, dans un machin comme ça, répondit le Texan sans me donner son nom.

— Puis-je appeler le consulat américain ? Contacter un avocat ? Téléphoner à quelqu'un ?

— Plus tard. Tu pourras faire tout cela, mais plus tard.

Tout en fixant l'autoroute qui m'éloignait du centre d'Istanbul, je réalisai que j'allais vraiment en prison : le pistolet du Texan avait mis un terme à mes rêves de fuite.

— Que va-t-il se passer ? demandai-je timidement.

Le Texan marqua une pause puis me répondit lentement :

— Difficile à dire. Tu peux attraper deux ans de prison comme tu peux en prendre pour vingt ans.

— Vingt ans !

— Tu as commis un délit très grave, William. Surtout ici, en Turquie.

— Mais ce n'est que du hasch ! Ce n'est pas de l'héroïne ou de l'opium. C'est de l'herbe, tout simplement.

— Je ne connais pas grand-chose à tout ça. Pour moi, une drogue en vaut une autre. Tout ce que je sais, c'est que tu es dans un sale pétrin.

J'avais l'impression que ma tête allait éclater ; vingt ans ! C'était impossible. Je tentai de lui expliquer que le haschich est la résine de la marijuana, qu'il ne cause pas d'accoutumance, qu'il n'est dangereux qu'à de très fortes doses, mais il ne m'écoutait pas.

Le silence s'installa entre nous et, pour la première fois depuis le début de cette aventure, tout devint réel. Je sentais que cela allait être une expérience très dure, et pas seulement pour moi : ce serait très pénible pour mes parents aussi. Lorsque j'avais quitté l'université de Marquette en dernière année, mon père m'avait prévenu que je commettais là une grave erreur et que je le regretterais plus tard. Il avait travaillé dur toute sa vie et avait fait une carrière solide de chef du personnel dans une compagnie d'assurances. Lui qui n'avait jamais fait d'études supérieures n'avait pas d'autre espoir que de voir ses trois enfants terminer brillamment leur cursus universitaire. J'étais l'aîné, le premier à devoir réaliser ses rêves. Pourtant, si près du but, je sentis que l'obtention d'un diplôme ne me motivait guère : je ne voyais pas très bien ce que j'en ferais. Je voulais connaître le vaste monde et faire toutes sortes d'expériences.

— C'est bien de voyager, m'avait dit mon père. Mais termine tes études d'abord.

Je ne l'avais pas écouté et lui portai ainsi un premier coup.

Quelques mois plus tard, je devais lui en porter un second lorsque je fus convoqué pour le conseil de révision. Mon père, qui avait bien vu que je n'avais rien mangé pendant les deux jours qui précédaient l'examen physique, comprit que j'avais fait le malade devant les médecins militaires ; on m'avait exempté avec la mention « psychologiquement inapte au service » et cela l'avait rendu fou furieux. Comment pouvais-je refuser de servir mon pays ? Pour lui, servir dans l'armée américaine était un honneur. Nous eûmes une violente dispute ce soir-là, à laquelle d'ailleurs ma mère ne participa pas. Des mots très durs furent échangés. Il était clair qu'aucun de nous deux ne voulait entendre le point de vue de l'autre.

— D'accord, avait conclu mon père. Tu abandonnes tes études. Tu as un rapport psychiatrique dans ton dossier. Va-t-en courir le monde, vas-y ! Mais je te le dis, tu finiras mal.

Il avait vu juste.

Je me demandai alors si j'allais lui porter un troisième coup, ou s'il allait s'en laver les mains. Nous n'avions jamais parlé du problème de la drogue et il devait certainement penser que le haschich et l'héroïne étaient la même chose. Et pourtant, si j'avais été arrêté en faisant du trafic d'héroïne, alors là oui, il

18

aurait pu m'abandonner ici... Je pensai aussi à ma mère, à Rob et à Peggy, et à la peine que j'allais leur faire. Les reverrais-je seulement un jour ?

— Je dois contacter le consul, répétai-je au Texan.

— Tu auras tout le temps de le faire tout à l'heure. Tu pourras lui parler après.

— Après... quoi ?

Le Texan me jeta un regard en coin. Peut-être avait-il un gosse de mon âge, ou était-il attendri par mes cheveux blonds et mes yeux bleus ? J'avais l'air d'un gentil étudiant américain, pas d'un dealer ; preuve en était la petite quantité de haschich que je transportais. Je sentais bien que, tout en condamnant ce dont je m'étais rendu coupable, il éprouvait de la sympathie pour moi.

— Ta famille est à New York ? me demanda-t-il.

— A Long Island.

— Ça va être dur pour eux !

— Oui.

**

*

— Bien. Descends, m'ordonna le Texan.

Il s'était arrêté dans une étroite rue pavée et me poussa gentiment dans un immeuble miteux. L'intérieur du bâtiment résonnait d'un brouhaha intense. Une rangée de paysannes vêtues de noir attendaient près de la porte en tenant des enfants braillards par la main. Tout en se racontant leurs malheurs à voix basse, elles fixèrent sur moi un regard inquisiteur.

La pièce, très sale, empestait la sueur et le tabac. Des policiers turcs organisaient un va-et-vient constant de prisonniers menottes au poing.

Le Texan me conduisit jusqu'à un bureau où il parla en turc à deux policiers.

— Voilà. Ils vont s'occuper de toi, me dit-il.

Je ne voulais pas qu'il s'en aille. Je ne connaissais pas son nom, je ne savais même pas s'il travaillait pour le consulat, Interpol ou la CIA, mais il était américain et il parlait anglais.

— Pouvez-vous appeler le consul américain pour moi ? lui demandai-je.

— Ce n'est pas nécessaire. Tu pourras le faire toi-même : ils te laisseront téléphoner.

19

— Ne pouvez-vous pas le faire, s'il vous plaît ?

— D'accord, dit-il après un instant d'hésitation.

Puis il fit un signe de tête aux policiers et disparut.

Les deux Turcs me dévisagèrent puis me poussèrent dans l'escalier. Devant mon air hésitant, ils hurlèrent un ordre à mon intention et me précipitèrent vers le haut. Sur le palier du premier étage, un prisonnier à la bouche en sang suppliait ses bourreaux mais on le fit entrer dans une pièce et les coups lui arrachèrent de longs cris stridents.

Je fus introduit dans une petite pièce à l'étage supérieur. J'entendais des hurlements de toutes parts, et je craignais d'être le prochain à pousser ces cris.

On me fit asseoir devant le bureau d'un détective turc qui bredouillait un peu d'anglais. A ses côtés se trouvait un homme grand, en civil, au teint basané mais sans moustache, ce qui est rare pour un Turc. Contrairement à tous les gens que j'avais croisés jusque-là, policiers et prisonniers, cet homme était propre. Il souriait sans mot dire.

— Où vous êtes-vous procuré ce haschich ? me demanda avec peine le détective.

Je repensai au chauffeur de taxi qui me l'avait vendu. Peut-être m'avait-il donné à la police ? Je n'y croyais guère ; il avait l'air vraiment trop sympathique et m'avait même présenté sa famille. Je ne voulais pas le voir amené ici, peut-être exposé à des coups, mais je n'avais nulle envie non plus de m'enfoncer dans cette situation. Soudain j'eus une inspiration et me mis à inventer l'histoire de deux jeunes hippies de nationalité turque et d'un ami à eux plus âgé que j'avais rencontrés au bazar. J'en fis une description détaillée avant de dire que c'était eux qui m'avaient vendu la drogue.

— Pourriez-vous les reconnaître ?

— Euh... Je ne suis pas sûr. Oui, sans doute.

Le costaud qui était assis à côté du détective se mit à parler en turc.

— Il demande si vous avez peur, traduisit le policier.

— Non, mentis-je.

Les deux hommes échangèrent un sourire.

— Oui, un peu, finis-je par avouer.

— Il vous dit que vous n'avez rien à craindre, me transmit le policier.

— Qui est-ce ?

Le détective me désigna de grands bidons en tôle cuivrée

posés sur son bureau. L'un d'entre eux était entrouvert. Il en sortit un sachet de haschich en poudre qui n'était pas encore pressé en plaquettes comme le mien. Je vis que le bidon était plein de ces sachets, qui représentaient vraisemblablement cinq à six kilos de drogue. Le détective me désigna du doigt une dizaine de ces bidons posés dans un coin de la pièce.

— C'est à lui, me dit-il en désignant le Turc souriant. Il vient d'être arrêté avec soixante kilos. C'est beaucoup, hein ?

— Oui, c'est beaucoup.

Je pris la cigarette qu'il m'offrait pour lier sympathie avec lui mais la fumai prudemment. Le détective me proposa alors un marché : si j'acceptais d'aller avec la police jusqu'à Sultan Ahmet, le quartier où j'avais dit m'être procuré la drogue et si je leur montrais les vendeurs, je pourrais prendre l'avion pour New York dès le lendemain. J'avais le sentiment que cet homme mentait mais je n'avais rien à perdre, et puis cela faisait toujours quelques heures à passer dehors et, peut-être, une chance de m'évader.

J'acceptai donc de me rendre ce soir-là au *Pudding Shoppe*, escorté de quatre détectives qui faisaient leur possible pour passer inaperçus. Pourtant je vis que les hippies changeaient de trottoir dès qu'ils nous voyaient de loin. Le *Pudding Shoppe* se vida de ses clients à notre entrée. Je m'assis à une table, affamé puisque je n'avais rien mangé depuis le matin. Je décidai de braver l'impatience des policiers et commandai des œufs brouillés et un thé, que je savourai lentement. Les policiers n'y tinrent plus et me saisirent ouvertement par le bras pour me reconduire au commissariat.

***

Je descendis l'escalier sombre et suintant qui menait à la cave du poste de police. L'obscurité se refermait sur moi. Le jeu était terminé : j'avais maintenant très peur.

Dans une petite antichambre, les policiers m'inscrivirent sur le registre d'un vieux gardien bourru qui jeta un coup d'œil aux papiers officiels en les plaçant sous l'ampoule nue qui pendait du plafond au milieu des toiles d'araignées. J'entendis des grognements et regardai en direction d'une énorme porte à barreaux : je parvins à distinguer des visages sombres et barbus qui me fixaient dans l'obscurité. L'odeur d'excréments et d'urine était insupportable et je fis tout ce que je pus pour ne pas vomir devant ces hommes. Il fallait à tout prix que j'aie l'air d'un dur, en dépit de mes cheveux blonds et de ma minceur ; d'ailleurs, j'étais mince mais agile et en bonne forme physique grâce à la pratique de la lutte et à tous ces étés passés comme maître-nageur-sauveteur à Long Island. Mais pourquoi donc avais-je arrêté les cours de karaté ?

— *Git !* hurla le gardien aux prisonniers après avoir saisi ses clés.

Tous les hommes s'écartèrent des barreaux. Il ouvrit alors l'énorme porte et me poussa à l'intérieur avant de la refermer derrière moi. Le déclic de la serrure résonna dans ma tête.

J'étais dos à la porte. Six ou sept Turcs curieux se groupèrent autour de moi en demi-cercle ; tous étaient pauvrement vêtus et très sales. L'un d'entre eux m'adressa un sourire édenté en se grattant la barbe. Un autre rota. La pièce était plongée dans une obscurité presque totale et l'odeur était insupportable.

Qu'allaient-ils faire ? Tout semblait possible dans ce lieu. Les policiers étaient en haut et ne se préoccupaient guère de ce qui se passait ici. Un costaud surgit à ma droite ; je me demandai si j'arriverais à le saisir au collet pour le frapper de toutes mes forces. Cela impressionnerait les autres et me permettrait d'avoir la paix. Et s'il devait y avoir une bagarre, je voulais au moins avoir la satisfaction de donner le premier coup.

L'homme au sourire édenté m'effleura les cheveux.

— *Nebu ?* demanda-t-il.

Tous les autres éclatèrent de rire.

Tout à coup un grand bruit nous parvint du fond de la pièce.

Tous les prisonniers s'écartèrent. Une voix bourrue mais rassurante cria :

— Hé ! Joe ! *Gel. Gel.*

Je tournai la tête dans la direction de la voix mais ne pus distinguer personne.

— *Gel. Gel.*

J'enjambai quelques corps endormis pour tenter de m'approcher de la voix et, ce faisant, j'eus l'impression de m'éloigner de la puanteur. La lumière m'aveugla un instant. Je n'en crus pas mes yeux. Là, par terre, sur ce sol dégoûtant, quelqu'un avait déplié une couverture propre sur laquelle s'étalait un festin : poulet rôti, oranges, raisin et pain. Au milieu d'une demi-douzaine d'hommes souriants trônait le grand Turc que j'avais rencontré dans le bureau du détective. Il me tendit une cuisse de poulet en me faisant signe de m'asseoir.

J'ôtai donc mes bottes et pris place sur la couverture. Quelqu'un me passa une énorme cigarette déjà allumée.

Je reconnus immédiatement l'odeur particulière du haschich.

CHAPITRE 3

— Fume, fume, me dit le Turc.

Je jetai un regard inquiet vers la porte et tous les hommes se mirent à rire. Je considérais la cigarette d'un air médusé : hier, j'avais été arrêté pour avoir transporté du haschich et jeté dans ce cul-de-basse-fosse, où précisément je rencontrais maintenant des hommes qui fumaient du haschich ! Je n'y comprenais plus rien.

Et pourtant ce joint était bien réel et ce n'était pas le moment de froisser mon hôte. Devant les encouragements de ses compagnons, je me décidai à tirer une bouffée qui me fit aussitôt tousser. Habitué à fumer de tout petits morceaux de haschich à la pipe, je fus surpris par le tabac très fort avec lequel les Turcs l'avaient mélangé avant de le rouler dans du papier marron épais ; c'était un peu comme fumer un havane. Je tirai néanmoins quelques bouffées avant de passer la cigarette à mon voisin.

Ils parlaient et mangeaient avec animation et avec force gestes, sans paraître préoccupés par l'endroit où ils se trouvaient. L'un d'entre eux hurla un ordre à un prisonnier qui rôdait tout près. Immédiatement, celui-ci lui versa un verre d'eau avec la promptitude d'un serviteur soucieux de satisfaire son maître.

J'assistai à la scène en essayant de comprendre qui donc étaient ces hommes qui festoyaient et fumaient du haschich sous le nez de la police. Je me demandai comment ils allaient s'en sortir et pourquoi les autres prisonniers les respectaient tant.

Je me sentais épié par leurs yeux affamés qui me fixaient dans l'obscurité. Aucun d'entre eux n'osait s'approcher de moi tant que j'étais près de mes hôtes.

Le Turc bien habillé me montra du doigt en souriant. Il leva deux doigts en disant : « Deux kilos » à tous ses amis. Puis, après s'être désigné d'un geste, il leva les deux mains et les ferma six fois : il avait soixante kilos. Ses amis éclatèrent de rire.

Ces joyeuses ripailles se poursuivirent pendant des heures. Je ne me sentais, pour ma part, pas d'humeur à festoyer mais je n'aurais, pour rien au monde, abandonné la sécurité de ce petit cercle. Je finis par céder à la bonne humeur ambiante. La fumée me piquait les yeux mais atténuait la puanteur qui émanait de l'autre côté de la pièce.

A la fin du repas, les convives se levèrent en rotant et en pétant comme si c'était le summum de la bonne éducation. Mon hôte grommela un ordre ; le prisonnier-serviteur vint rapidement enlever les reliefs du repas de la couverture. Une bagarre éclata immédiatement à propos des os de poulet et des écorces d'oranges, mais cela ne sembla guère préoccuper le petit groupe de grands seigneurs qui se déplaça vers un coin de la pièce. Là, une planche de bois pourrie, surélevée sur de larges poteaux, était fixée au mur. Une petite échelle permettait d'y grimper. Des hommes en haillons y dormaient, serrés les uns contre les autres pour avoir plus chaud. Mes amis grimpèrent et jetèrent brutalement les dormeurs par terre.

— Allah ! crièrent-ils en tombant lourdement sur le sol.

Dès qu'ils virent qui les avait délogés, ils se sauvèrent sans mot dire.

Le serviteur déplia la couverture sur les planches pour le grand Turc. Les autres prirent place sur des journaux et me firent signe de venir parmi eux mais le grand Turc m'invita à m'asseoir sur sa couverture. Je lui répondis par un sourire poli mais déclinai son offre d'un signe de tête en lui désignant du doigt le petit coin dans lequel j'avais décidé de prendre place. Je voulais rester près de ces hommes influents mais refusais de dormir avec eux.

Je m'assis donc sur l'étroite planche de bois, adossé au mur de pierre glacial. Mes amis s'étirèrent, bâillèrent, grommelèrent quelques mots puis s'endormirent rapidement. Leurs ronflements paisibles indiquaient qu'ils étaient des habitués du lieu.

J'étais loin d'être aussi calme. Ma tête tournait, à cause du haschich et de la peur. Pour la première fois de la journée, j'avais le temps d'examiner la situation, et ce n'était guère réjouissant. Le Texan m'avait parlé de vingt ans, mais j'avais l'impression que je deviendrais fou au bout de vingt jours !

— Hé, Joe, murmura quelqu'un.

J'aperçus un jeune Turc aux cheveux gominés, vêtu d'un costume croisé beaucoup trop grand pour lui.

— Approche-toi, me dit-il. *Fik fik. Fik fik.* Viens.

Je détournai mon regard et tentai de ne pas remarquer son invitation insistante. Comme les autres, il n'osait guère s'approcher. Même dans leur sommeil, mes protecteurs semblaient avoir une grande influence.

J'avais une envie pressante de soulager ma vessie et l'odeur qui venait de l'autre bout de la pièce m'indiqua où se trouvaient les toilettes.

Je décidai en serrant les dents d'attendre le matin.

Je me sentais glacé par l'humidité ambiante et courbatu. J'avais besoin de dormir mais j'étais trop énervé pour y parvenir.

Tout ce qui m'arrivait était difficile à croire. Comment pourrais-je le supporter ? Et pourtant je n'avais pas le choix. Je m'étais mis dans cette situation, je n'avais plus qu'à l'affronter. Mais en serais-je capable ? Serais-je assez fort pour survivre dans une prison turque ? L'obscurité me paniquait. J'avais envie de hurler, je voulais sortir de là.

Je finis par succomber au sommeil mais je fus réveillé en pleine nuit par une caresse légère sur la cuisse. Une silhouette s'éloigna rapidement et sauta par terre, déclenchant ainsi les cris et les gémissements des prisonniers endormis. L'un de mes amis se réveilla.

— *Noldu ?* me demanda-t-il d'une voix ensommeillée.

J'esquissai un sourire crispé et il se rendormit immédiatement. Mais pour moi le repos était terminé.

Un chien aboya au loin dans la nuit.

J'étais en sueur, malgré le froid. Un moustique se posa sur mon cou mais je restai impassible : ils étaient si nombreux en effet qu'il était impossible de les chasser tous. J'attendais, les yeux fermés, que le jour se lève. Je me mis à penser à un matin de mon enfance.

J'étais assis dans notre cuisine baignée de soleil. Ma mère chantonnait joyeusement en préparant le petit déjeuner ; elle avait l'air si jeune.

— Billy, je ne sais plus quoi faire avec toi, me dit-elle. Tu as déjà avalé tout un grand verre de lait. Pas étonnant que tu sois si

26

blond ! Il va nous falloir une vache pour suffire à ta consommation de lait.

— Pourra-t-on la garder dans le jardin, maman ?

— Bien sûr ! Et Bobby et toi vous pourrez monter sur son dos.

— Formidable ! Allons l'acheter aujourd'hui !

Elle se mit à rire et me serra contre elle.

— Il faudrait peut-être d'abord en parler à ton père, non ?

— Pourquoi ne lui fait-on pas la surprise ?

— Non, dit-elle. Finis ton petit déjeuner et va jouer. Ton père n'a pas besoin de ce genre de surprise.

— D'accord, dis-je en sortant rejoindre mes copains Lillian et Patrick. Mais nous en reparlerons quand je reviendrai...

Quand je reviendrai...

Le moustique, enfin rassasié, alla plus loin. J'étais tout à fait éveillé et fixai le mur, perdu dans mes pensées.

Jusqu'alors, je n'avais jamais eu de difficultés particulières. Mes parents m'avaient assuré, dans notre maison modeste mais chaleureuse de North Babylon dans l'État de New York, une vie agréable dont les différentes étapes étaient prévues : j'irais dans de bonnes écoles catholiques où je serais un bon élève, puis dans une bonne université, j'épouserais une fille bien et j'aurais une belle situation.

Je n'avais rien remis en question. J'étais apprécié par les religieuses de mon école sans avoir d'efforts à faire, surtout dans les disciplines sportives où je me distinguais facilement. Puis j'entrai à l'université jésuite de Marquette, dans le Milwaukee, comme mon père l'avait voulu. Ce fut donc en 1964 que, pour la première fois, je fis l'expérience du vaste monde. Je me trouvai tout à coup parmi des gens qui s'interrogeaient et je commençai alors à me poser aussi des questions. Pourquoi ma vie devrait-elle suivre cette voie toute tracée ? Je venais de découvrir qu'une multitude de possibilités s'offraient à moi, en dehors de ce que mes parents considéraient comme normal.

Après cette première année, je décidai de prendre de longues vacances pour tenter d'y voir plus clair et me rendis en stop au Mexique et sur la côte du Pacifique, où je survécus grâce à de petits travaux qui me laissaient de nombreuses heures de loisir pour pratiquer le surf. J'y restai environ six mois et cela déplut à mes parents. Pour la première fois, je m'étais ouvertement opposé à leurs désirs.

La guerre du Viêt-nam me rappela à l'ordre. Je devais retourner à l'université ou renoncer à mon sursis. En retrouvant mes amis à Marquette, je découvris alors que, sur le campus, une nouvelle mode avait détrôné la bière : je fumai ma première cigarette de marijuana, puis de haschich.

Les années suivantes furent tout aussi perturbées. Je poursuivais mes études pour échapper à l'armée mais le cœur n'y était plus. Mes notes, qui jusque-là avaient toujours été bonnes, devinrent moyennes, et je passais le plus clair de mon temps à traîner sur le campus au lieu d'assister aux cours. Je tentai pendant quelque temps d'écrire, mais les refus successifs des éditeurs me découragèrent rapidement.

Mes parents ne comprenaient pas pourquoi mes résultats avaient ainsi baissé. Lorsque je leur expliquais que je ne voyais pas très bien ce que je ferais d'un diplôme d'études supérieures, j'allais à l'encontre de leurs convictions les plus profondes. Pour eux, les études supérieures étaient un privilège alors que pour moi, dans les années soixante, c'était un fait commun. Le fossé se creusa encore entre nous.

Sous l'influence de mes amis, je participai à quelques manifestations contre la guerre, sans grand sérieux toutefois. J'aimais l'atmosphère de fête de ces moments. Le souvenir de ma vie d'alors est d'ailleurs celui d'une fête perpétuelle.

**

Lorsque les premiers rayons du soleil filtrèrent à travers les barreaux de la porte dans la pièce enfumée, je n'avais toujours pas retrouvé le sommeil. J'étais content de voir la nuit se terminer mais je redoutais les surprises de la journée qui commençait.

Mon voisin s'étira en bâillant longuement ; il rota, péta, se gratta le sexe puis cracha contre le mur avant d'allumer une cigarette en lançant ce que je devinai être une bordée de jurons. Tout autour de moi, le même rituel se déroulait, dans le brouhaha d'une centaine d'hommes pris d'une quinte de toux.

Mon voisin descendit de la planche et alla uriner à l'autre bout de la pièce, dans l'un des nombreux trous creusés dans le sol à cet usage. Il ne semblait nullement gêné par les regards qui le suivaient mais rata le trou.

**

28

— *Turist.* Vilyom. Vilyom. Vilyom Haï-yes.

Je bondis vers la porte. Un policier m'accompagna en haut, dans une petite pièce calme meublée sommairement d'une table basse et de deux chaises. J'attendis seul un moment, puis un grand Turc très soigné et en civil fit son entrée.

— Je m'appelle Erdogan, me dit-il en anglais en me serrant la main. Appelez-moi Erdu. Je travaille au consulat américain.

Enfin de l'aide !

— Je suis désolé de ce qui vous arrive, William. Je ferai tout mon possible pour vous aider.

— Que va-t-il m'arriver ?

— C'est un peu l'inconnu, me dit-il en feuilletant nerveusement ses documents. Il vous faut un avocat. Vous avez commis un délit très grave en Turquie.

Il me présenta une liste d'avocats turcs avec leurs références.

— Je ne peux vous en recommander aucun, ajouta-t-il. Choisissez-en un au hasard.

— Parlent-ils anglais ?

— Plusieurs d'entre eux, oui.

Je jetai un coup d'œil à la liste. Mon regard tomba sur le nom Yesil. Il avait fait ses études à l'université du Maryland et avait enseigné à l'université du Michigan.

— Je vais prendre Yesil. Vous le connaissez ?

Erdu me fit signe que oui.

— Je le contacterai, me dit-il. Il viendra vous voir dans quelques jours. Vous serez transféré cet après-midi à la prison de Sagmalcilar, à l'autre bout de la ville. Le consul vous rendra également visite dans quelques jours.

Puis il me posa la question que je redoutais.

— Voulez-vous que je prévienne vos parents ?

— Non. Je préférerais leur écrire moi-même.

Erdu me donna du papier et un stylo et me laissa seul dans la pièce.

***

8 octobre 1970.

Chers Papa et Maman,
Cette lettre vous sera pénible à lire comme elle m'est pénible à

écrire. Je souffre en pensant au chagrin que je vais vous causer.

J'ai des ennuis, peut-être de gros ennuis. Pour le moment, je vais bien. Je vous écris d'une petite pièce d'une prison d'Istanbul. Il m'est difficile de vous raconter maintenant cette histoire absurde. Disons simplement que j'ai été arrêté à l'aéroport hier au moment où je m'apprêtais à prendre l'avion avec une petite quantité de haschich. Je viens de parler avec un fonctionnaire du consulat américain qui se charge de contacter un avocat pour moi. Peut-être serai-je libéré mais peut-être aussi devrai-je passer quelques années en prison. Je ne sais pas encore ce qui va m'arriver. Il se peut que je doive rester ici quelque temps.

Je suis très triste d'avoir à vous raconter cela et je sais bien quelle peine et quelle inquiétude vous allez ressentir. Quelle déception aussi. Je sais que vous m'aimez mais que vous n'êtes pas fiers de moi.

Je pensais savoir ce que je faisais mais ce n'était pas vraiment le cas. J'aurais voulu pouvoir régler cette histoire rapidement, et ne pas avoir à vous l'apprendre, mais c'est impossible.

Je suis donc dans une prison turque, à l'autre bout du monde. Mes excuses vous réchaufferont-elles le cœur ? Effaceront-elles la souffrance, la honte qui doivent être vôtres ?

Je m'en veux d'avoir laissé ainsi ma vie aller à vau-l'eau et je regrette de vous faire tant de peine. Pardonnez-moi.

Je vous écrirai prochainement.

Affectueusement
Billy.

***

Au début de l'après-midi, des soldats vinrent chercher quinze d'entre nous. Ils nous enchaînèrent par les poignets deux par deux et nous amenèrent près d'un camion rouge. Nous nous y hissâmes péniblement et prîmes place sur les banquettes de bois. On nous fit traverser la ville avant de nous déposer devant un grand bâtiment de pierre. Nous entrâmes dans une grande pièce rectangulaire, aussi sale que le commissariat. Les murs ternes, passés il y a bien longtemps à la chaux, avaient un reflet vert sous l'ampoule nue qui pendait du plafond. On nous retira les chaînes et les prisonniers se rangèrent en file. Je me mis en bout de ligne.

Tous les prisonniers baissaient la tête, les bras ballants le long du corps. Le sergent de garde, qui s'imposait par sa carrure, aboya une question au premier prisonnier. Celui-ci chuchota une réponse, ce qui lui valut un revers de main sur la bouche. Une autre question, une autre réponse timide, une autre gifle, plus forte encore. La bouche du prisonnier se mit à saigner et il laissa échapper un gémissement. Le sergent le houspilla sévèrement avant de passer au prisonnier suivant.

D'autres questions suivirent. D'autres gifles aussi. Le second prisonnier tenta de mettre son bras en avant pour se protéger des coups mais ne fit qu'augmenter la colère du policier qui frappa plus fort encore.

Il s'arrêta devant chaque prisonnier, assenant à chacun questions et coups. Plus il avançait, plus sa colère montait, et j'étais le dernier. J'essayais désespérément de retenir les humbles paroles des Turcs.

Le sergent était presque arrivé à la moitié de la file lorsque l'un des prisonniers lui fit une réponse qui sembla lui déplaire tout particulièrement. D'une gifle, il l'envoya contre le mur ; le nez du prisonnier se mit à saigner mais le chef lui donna un grand coup dans le ventre en hurlant de colère. Le type tomba à genoux. Le sergent le releva en le tirant par les cheveux et le traîna au milieu de la pièce.

Le pauvre homme essaya de s'écarter en rampant mais d'autres soldats arrivèrent en renfort et se mirent à le frapper avec des matraques en caoutchouc dans les côtes, les reins et les jambes tandis qu'il poussait des hurlements, les suppliant d'avoir pitié de lui. Il tentait désespérément d'éviter les coups mais l'un des soldats le frappait méchamment sur le sexe chaque fois qu'il le pouvait, et le type se mit à gémir de douleur et de peur.

Nous observions tous la scène en silence. Mon corps s'était couvert d'une sueur froide. Comment allaient-ils réagir lorsqu'ils en arriveraient au bout de la file pour découvrir un idiot de *turist* ?

Les soldats traînèrent l'homme en sang dans un coin de la pièce où il s'effondra en gémissant. Puis ils reprirent la séance et se remirent à gifler et à frapper les autres prisonniers. Des jurons, des cris emplissaient la petite pièce. Bientôt ce serait mon tour.

Un soldat costaud au teint jaunâtre s'approcha et regarda à l'intérieur de mon sac.

— *Nebu ?* marmonna-t-il en me montrant les deux petites balles jaunes. *Nebu ? Nebu ?*

D'un geste lent, en tentant de ne pas m'attirer ses foudres, je sortis la troisième balle de mon sac.

— *Nebu ? Nebu ?* répéta-t-il.

Je fis un effort pour ne pas trembler et me mis à jongler.

— *Nebu ? Nebu ?* demanda un autre soldat arrivé en vitesse.

Je m'arrêtai alors.

— *Yap ! Yap !* dit-il en me faisant signe de continuer.

Je me remis donc à jongler avec mes trois balles de couleur. Très vite, d'autres soldats firent cercle autour de moi, fascinés, comme tout le monde devant un jongleur, par le mouvement et la dextérité. Le sergent m'invectiva avec hargne. Je fis tomber une balle qu'il rattrapa prestement pour me la renvoyer.

— *Yap !*

Je me remis à jongler. Que pouvais-je faire d'autre ? Au moins, tant qu'ils me regardaient, ils ne frappaient personne, et surtout ils ne me frappaient pas, moi. Je retrouvai donc les gestes qui avaient si souvent fasciné mes amis à New York et à Milwaukee. Deux balles dans une main, la troisième dans l'autre. On en lance une en l'air et on en rattrape deux, puis on en lance deux et on en rattrape une : un petit tour de passe-passe.

— *Yap ! Yap !* me criait-on de tous les coins de la pièce lorsque je m'arrêtais.

J'acceptai donc de *yapper*, et je jonglai pendant au moins un quart d'heure. Je commençais à sentir la fatigue dans les bras et finis par laisser tomber une balle. Le sergent la rattrapa mais, au lieu de me la renvoyer, tendit les mains pour avoir les deux autres.

Je les lui donnai. Il en lança une en l'air, puis les deux autres ; les trois balles se perdirent dans l'assistance. Le sergent hurla un ordre et les récupéra immédiatement. Il les considéra un instant puis me fit signe de lui montrer comment il fallait faire. Nous nous plaçâmes dans un coin pour cette petite leçon. Il avait une bonne coordination des mouvements mais j'eus du mal à lui expliquer qu'il fallait surtout beaucoup d'entraînement. Il n'y arrivait pas, il se crispait ; moi aussi. Je ne voulais pas le voir reprendre les activités pour lesquelles il était plus doué.

D'un geste poli, je lui demandai de me rendre les balles. Je tendis la main sous le regard suspicieux des soldats, je grimpai lentement sur une chaise placée sous l'ampoule et j'approchai les balles de la lumière pendant quelques instants. Puis je redescendis et fit signe au sergent d'éteindre. Il fronça les sourcils, puis hurla un ordre. Un soldat se posta devant chaque porte tandis qu'un autre tournait l'interrupteur.

Je me remis à jongler. Dans l'obscurité, les balles jaunes avaient un reflet vert et bleu que je maintins en remontant plusieurs fois recharger la couleur à la lumière. Prisonniers et soldats étaient fascinés par le spectacle.

J'entendis un camion qui s'arrêtait devant l'immeuble. Le sergent hurla un autre ordre. Les prisonniers s'alignèrent en se soutenant les uns sur les autres. Je rangeai les balles et fus enchaîné à un vieillard qui semblait avoir été épargné lui aussi, peut-être à cause de son âge. Nous étions les seuls à ne pas être en sang.

Je partis pour la prison avec le cœur presque léger. J'avais eu de la chance, et j'espérais que cela durerait.

Le premier coup d'œil aux grands murs gris de la prison me ramena à la dure réalité. Le camion s'arrêta sous une voûte ; les soldats en descendirent pour nous faire entrer dans le bâtiment. Tout n'était que béton, acier, et murs blanchis à la chaux. On nous enleva nos chaînes et nous fûmes confiés à des geôliers ; ils portaient des uniformes bleus froissés et avaient tous une cigarette aux lèvres. Un gardien bourru s'approcha de moi et me posa une question en turc. Je répondis d'un mouvement d'épaules. Immédiatement il fronça les sourcils et serra les poings.

A ce moment précis, la porte s'ouvrit pour laisser entrer deux hommes qui portaient le même uniforme que les autres gardiens mais étaient propres et nets. Les quatre galons qui ornaient leurs épaules semblaient indiquer qu'ils étaient plus haut placés dans la hiérarchie. Tous les prisonniers reprirent leur attitude humble.

L'un des deux gardes, le plus jeune et le plus costaud, s'arrêta devant chacun d'entre nous en se dandinant avec suffisance. Il examina de plus près un prisonnier qu'il sembla reconnaître, leva lentement la main comme s'il s'apprêtait à saisir son arme et, brutalement, frappa l'homme au visage, l'envoyant cogner contre le mur.

L'autre garde, plus âgé, avait des cheveux poivre et sel, un long visage anguleux, et des yeux sombres et perçants. Il se tenait très raide. Il me faisait penser à ces Turcs cruels dont on parle dans les livres d'histoire, comme ceux qui ont jeté les Grecs à la mer à Smyrne.

Il s'arrêta devant moi et jeta un coup d'œil glacial à mes cheveux avant de me regarder dans les yeux. Je soutins son regard un instant puis me dis qu'un prisonnier était sans doute censé faire preuve de plus d'humilité : je détournai immédiatement les yeux avant de croiser les siens à nouveau. Un fin sourire creusa ses traits burinés. Je souris à mon tour.

— *Gower !* hurla-t-il en postillonnant.

Mon sourire disparut immédiatement. Je fixai le carrelage, retenant mon souffle. Puis je l'entendis parler au responsable du registre et compris clairement : « Vilyom Haï-yes. » Il continua alors son inspection.

On nous rasa la tête avant de nous photographier et de nous prendre nos empreintes digitales. C'est alors que je fus séparé des autres prisonniers et conduit au bout d'un long corridor étroit. Un gardien ouvrit une porte à barreaux, me poussa à l'intérieur et referma à clé.

J'étais dans ce qui allait désormais me tenir lieu de foyer.

CHAPITRE 4

C'était un univers froid et gris de pierre et d'acier. Un couloir étroit et court s'étendait devant moi ; à gauche, des fenêtres sombres à barreaux ; à droite, une rangée de dix ou douze petites cellules. Un escalier de pierre semblait conduire à un autre étage de cellules.

L'endroit était calme, le couloir était désert mais j'entendais quelqu'un jouer de la musique quelque part. Des voix résonnaient doucement.

Quelqu'un sortit d'une cellule et s'arrêta pour m'examiner. Une tête passa par une fenêtre puis rentra rapidement après m'avoir regardé. Le bruit de la porte avait de toute évidence éveillé la curiosité de mes voisins.

J'avançai jusqu'à la première cellule ; c'était une toute petite boîte carrée de deux mètres sur trois, fermée par une porte métallique à barreaux posée sur un rail. Je jetai un coup d'œil aux trois prisonniers qui mangeaient ce qui semblait être de la soupe dans leurs écuelles.

— Hé ! Regarde ça ! cria l'un des prisonniers dont les nombreux tatouages indiquaient qu'il n'était pas un enfant de chœur. Comment vas-tu, mec ?

Il se leva pour ouvrir la porte.

— D'où es-tu ? Ils t'ont coffré pourquoi ? Comment t'appelles-tu ?

Il me harcela de questions. Il parlait anglais avec un accent très prononcé, que je ne pus identifier. Il avait des yeux foncés très vifs et un visage souriant.

— Dites-donc, les gars. Regardez ça ! Un nouveau *macum* ! Comment t'appelles-tu, mec ? me redemanda-t-il en me serrant la main.

— William...

Mais il m'interrompit aussitôt.

— William ? Super ! Moi, c'est Popeye. Voilà Charles et Arne, dit-il en désignant les deux autres, un Blanc et un Noir, qui continuaient à manger tranquillement. Assieds-toi ici, William, me dit Popeye en cherchant quelque chose sous le lit. Non, pas là, m'ordonna-t-il en me saisissant par le bras pour m'éloigner du lit qui pourtant avait l'air très confortable.

Je m'assis sur une grande boîte et Popeye reprit sa place.

— Alors, d'où es-tu, William ?

— De New York.

Je jetai sur la cellule un regard étonné : le décor était presque beau. Un panneau de soie décoré d'un motif japonais ornait le mur au-dessus d'un bureau. Des savons sculptés et des découpages en papier représentant des animaux étaient posés ici et là. Sur le mur, derrière le lit, était accroché un drap sur lequel étaient peints des symboles astrologiques. Après les événements des deux derniers jours, la pièce me parut accueillante et confortable.

— Dis donc, Charles, nous avons un autre Américain ! cria Popeye.

Le dénommé Charles se contenta de répondre par un signe de tête.

— Il est de Chicago, m'expliqua Popeye. C'est le nègre de la ville des gangsters. Ouais ! On a maintenant deux Américains : le Noir et le Blanc. Il nous manque plus que...

Popeye se mit à chanter une chanson de rock d'un groupe appelé *The Guess Who* : « *American woman, da da da da...* » Je me sentis obligé de lui sourire puis je m'adressai à Charles.

— Comment allez-vous ? lui demandai-je.

— Ça va, me dit-il en serrant à contrecœur la main que je lui tendais.

— Salut, Willie, me dit Arne d'une voix douce. Bienvenue dans ma cellule.

Il avait l'air d'être scandinave : grand, blond, le teint pâle, et des yeux bleus paisibles mais perçants.

J'étais ravi de me trouver avec trois compagnons qui parlaient anglais, dont l'un d'eux était même américain.

— Ce n'est pas mal ici, commentai-je.

Charles me jeta un regard renfrogné, tandis que Popeye éclatait de rire.

— Ouh ! L'Américain typique ! Ah ! C'est trop, William. « Ce n'est pas mal ici. » Ouh !... dit-il en pouffant.

Arne se contenta de m'adresser un sourire poli et me tendit un gobelet de soupe aux lentilles, sans me quitter des yeux lorsque je l'avalai avec avidité.

***

— William ? me demanda une voix douce pendant mon dîner.

Je levai les yeux et vis deux hommes qui se tenaient à l'entrée de la cellule d'Arne où avait lieu le repas. L'un d'entre eux, qui avait l'air d'avoir un certain âge, caressait son crâne chauve en me regardant fixement ; le second, qui avait l'air plus frêle malgré ses grosses lunettes, s'adressa à moi en anglais.

— Voici Emin, me dit-il en désignant le plus âgé des deux. Je m'appelle Walter. Emin est notre *memisir*, c'est-à-dire qu'il est le prisonnier chargé du quartier des étrangers, le *kogus*. Viens. Emin va te montrer ta cellule.

— Tu pourras revenir terminer ton repas plus tard, me rassura Arne.

Je suivis Emin et Walter jusqu'à ma cellule, qui était située au bout du couloir. Emin marmonna quelques mots en turc et me désigna l'endroit d'un geste. Je fis un signe de tête. Emin parut satisfait et s'en alla.

La cellule était semblable à celle d'Arne mais sans aucune décoration. Tout y était couvert de poussière. Une couchette de métal, recouverte d'un vieux matelas crevé et taché, meublait la pièce ; une table et un banc de bois pouvaient se rabattre contre le mur. Au fond, un paravent arrivant à mi-corps séparait du reste de la pièce le trou qui servait de toilettes et laissait échapper une forte odeur d'urine. Un petit casier remplissait l'espace entre les barreaux et le pied du lit.

Ce n'était pas du tout le genre d'endroit dans lequel j'avais envie de m'éterniser, mais qui parlait de s'éterniser ? On avait tenté de m'effrayer en me parlant de vingt ans, mais cela me paraissait ridicule pour deux kilos. Je savais bien que je n'aurais nul besoin de décorer ma cellule comme Arne qui, lui, devait purger sans doute une peine impressionnante.

Je retournai finir ma soupe. Popeye était revenu.

— Qui sont ces types ? demandai-je.

— Des emmerdeurs, me répondit Popeye. Emin est un Turc

qui est ici depuis un bon bout de temps ; c'est pour cela qu'ils l'ont mis responsable du *kogus*. Quant à Walter, c'est un lèche-cul qui parle six langues mais fait tout dans ton dos.

— Vraiment ?

— Vraiment ? imita Popeye. Où tu te crois, William ? A l'université ? Tu es en prison, mon pote. En tôle. Tu as déjà vu ta cellule ?

— Ouais.

— Alors, que penses-tu de ton nouveau chez-toi ?

— Pas mal, dis-je sans enthousiasme.

— Ouais, c'est pas mal ici, n'est-ce pas ? dit Popeye.

— Pourquoi es-tu ici ? demandai-je à Arne pour changer de sujet.

— Hasch.

— Combien as-tu pris ?

— Douze ans et demi.

— Ouah ! Combien de hasch avais-tu sur toi ?

— Cent grammes.

Douze ans et demi pour cent grammes ? C'était impossible. J'en transportais vingt fois plus !

— Pourquoi t'ont-ils coincé ? demanda Popeye d'une voix tendue.

— Hasch aussi.

— Combien ?

— Deux kilos.

— Où ça ?

— A l'aéroport. J'allais juste embarquer.

— Ça va faire mal. Tu avais passé la douane ?

— Oui. Je me suis fait coincer en montant dans l'avion.

— Dur, très dur. Dix ou quinze. Peut-être même vingt.

— Vingt quoi ?

— Vingt ans, mon pote. En tout cas, minimum dix.

Je n'arrivais pas à y croire : j'étais sûr qu'ils plaisantaient.

Arne se leva, très digne malgré la misère ambiante. Il tendit le bras pour attraper quelque chose au-dessus du casier.

— Ne l'écoute pas, Willie, me dit-il. Ici, en Turquie, on ne peut pas savoir quelle peine on va avoir : tout est possible dans ce pays.

Il attrapa un petit récipient en bois qui contenait des pommes, m'en offrit une puis fit passer le compotier. Ce garçon était rassurant. Il m'inspirait confiance et j'éprouvais une sympathie immédiate pour lui.

— Ne plaisante pas avec lui, Arne, dit Popeye. Il vaut mieux qu'il s'attende au pire. Moi, je dis que ce type va ramasser au moins dix ou quinze ans.

— Mais ce n'est pas possible ! dis-je. Douze ans et demi, vingt ans pour du hasch ? Vous êtes fous !

Un silence gêné s'installa dans la pièce.

Charles, qui s'était tu jusque-là, leva les yeux vers moi.

— Tout le monde est fou ici.

Nous nous remîmes tous à manger. Perdu dans mes pensées, je ne fis guère attention à ce que j'avalais. Popeye était fou : nulle part au monde, même dans un pays aussi peu organisé que la Turquie, on ne pouvait punir quelqu'un de vingt ans de prison pour deux kilos de hasch. Alors pourquoi cela m'arriverait-il ? En plus j'étais américain. Tout le monde savait bien que les Américains avaient toujours un traitement de faveur.

— Combien as-tu pris ? demandai-je à Charles.

— Cinq ans. Il ne me reste plus que dix mois à passer ici.

Cinq ans ! Un Américain ! Certes c'était mieux que les prédictions de Popeye, mais tout de même ! Je reconnus tout d'un coup l'accent de Popeye : il était israélien. Voilà pourquoi il était si pessimiste dans un pays musulman. Mais moi j'étais américain et j'avais toujours eu de la chance ; j'étais sûr que je m'en sortirais facilement.

Arne sembla lire dans mes pensées.

— Tu obtiendras peut-être une mise en liberté sous caution, me dit-il d'une voix calme.

— Tu parles ! grommela Popeye.

— Une mise en liberté sous caution ?

— Ça dépend...

Arne avait un air sérieux ; il était de toute évidence plongé dans une profonde réflexion. Puis il me regarda en souriant.

— Si tu paies, tu es libre. Les Turcs savent très bien que tu quitteras définitivement le pays et qu'ils pourront garder l'argent de la caution. S'ils t'accordent une mise en liberté sous caution, c'est qu'ils sont sûrs que tu ne respecteras pas l'engagement.

— Mais comment pourrais-je quitter le pays ? demandai-je intéressé.

— Rien de plus simple, dit Arne. N'importe quel avocat turc introduit dans le milieu, et ils le sont tous, t'obtiendra un faux passeport. L'autre solution est de passer discrètement en Grèce. Les Grecs détestent les Turcs : ils ne te renverront jamais. Oui, s'ils t'accordent la mise en liberté sous caution, c'est qu'ils sont sûrs que tu chercheras à partir. Et si tu arrives en Grèce, tu es libre.

— Super ! Et tu crois que j'ai une chance de l'obtenir ?

— Ça dépend, dit Arne. Ouais, ça dépend : si tu as de l'argent et un bon avocat, tu l'obtiendras.

— Y en a marre, interrompit Popeye, qui avait complètement perdu sa jovialité. Tais-toi et va prendre un bain. Et enlève tous ces poux.

— Mais je n'ai pas de poux, répliquai-je, surpris d'être l'objet d'une telle accusation.

— Où as-tu passé la nuit dernière ? me demanda-t-il.

— Au commissariat.

— Alors, tu as des poux, mon pote. Pourquoi crois-tu que nous t'avons empêché de t'asseoir sur le lit ? Va prendre un bain et fais bouillir tes vêtements.

Arne approuva d'un signe de tête.

L'idée de prendre un bain me plaisait beaucoup mais je n'avais aucune envie d'y être poussé par Popeye.

— Je préfère prendre une douche, finis-je par dire.

— J'en ai assez de vos bêtises, dit Charles en se levant.

— Il n'y a pas de douche ici, il faut se laver dans l'évier de la cuisine, m'expliqua Arne qui alla me chercher une serviette, un broc et un morceau de savon dans sa cellule.

Il me dit que j'aurais de l'eau chaude pendant à peu près une demi-heure et m'accompagna dans la cuisine où il me montra comment on pouvait boucher l'évier avec un chiffon sale. Pour me laver, il faudrait donc que je me frotte au savon puis que je m'asperge le corps d'eau chaude à l'aide du broc. Je décidai de commencer par laver l'évier qui était repoussant.

— Ne te laisse pas faire par Popeye et Charles, me recommanda-t-il gentiment. Ils sont enfermés depuis longtemps... Les nouveaux ne comprennent pas toujours comment ça marche ici, et ils s'énervent vite.

— Pourquoi l'appelle-t-on Popeye ?

— C'est un marin. Il s'est fait prendre avec quarante kilos à bord.

— Et il a écopé de combien ?

— Quinze ans.

— Ça ne m'étonne pas qu'il devienne fou.

— C'est sûr, dit Arne après un instant de silence. Mais c'est vraiment un chic type.

L'eau chaude arriva dans les tuyaux rouillés ; Arne me laissa seul. Je me mis alors à frotter l'évier avec le savon mais le résultat ne fut pas concluant. Pendant qu'il se remplissait, je me déshabillai. Mes vêtements sentaient vraiment très fort. Debout devant l'évier, je me mis à me savonner le visage et la tête, me sentant tout bizarre de n'avoir plus de cheveux. Avec le broc d'Arne, je parvins à m'arroser d'eau chaude et éprouvai une sensation très agréable. Puis je savonnai lentement le reste de mon corps et me souvins de ce que m'avait dit Popeye : je me mis à la recherche de poux sur mon sexe.

Soudain j'eus la conviction que je n'étais pas tout seul. J'aperçus, en tournant la tête, un type qui avait l'air d'un Arabe debout dans l'encadrement de la porte. Il contemplait ma nudité avec un large sourire en marmonnant quelque chose en turc d'une voix excitée. Je haussai les épaules pour lui signifier que je ne comprenais pas.

L'Arabe disparut mais revint un instant plus tard avec Arne. Je me sentis gêné d'être surpris dans cette situation.

— Tu ne peux pas te laver tout nu, m'expliqua Arne.

— Quoi ? Et comment suis-je censé prendre un bain ?

— Tu dois garder tes sous-vêtements. Tu ne dois jamais être nu dans le *kogus*.

— Qu'est-ce que tu racontes ? Comment puis-je me laver si je ne retire pas tous mes vêtements ?

— Tu ne peux pas le faire, insista Arne. Les Turcs sont très stricts pour tout ce qui pourrait apparaître comme une possibilité de relation sexuelle entre prisonniers.

— Mais il ne s'agit pas de relation sexuelle. Je prends un bain, tout simplement. Laisse-moi finir de me laver, s'il te plaît.

— D'accord, dit Arne en haussant les épaules. Mais tu as intérêt à te dépêcher. Sayim arrive.

Je ne cherchai pas à savoir qui était Sayim ; j'éprouvais trop de plaisir à faire couler cette eau chaude sur mon corps. Arne me laissa seul et je versai un autre broc d'eau en repensant à cet après-midi. J'avais eu beaucoup de chance d'échapper aux coups.

J'entendis un bruit de clés. La porte du couloir s'ouvrit.

Une voix criait en turc : « Sayim. Sayim. »

Je voyais un coin du bras du gardien devant la porte ouverte.

— Je t'avais dit de te dépêcher, me dit Arne qui était revenu en courant. C'est Sayim.

Je ne savais rien de ce Sayim et tous ces ordres commençaient à m'énerver prodigieusement. Je continuai donc à me savonner les jambes.

— Tu es fou ? me chuchota Arne. S'ils t'attrapent nu, ils te battront.

Cette fois, je fus impressionné. Je revis en pensée le pauvre prisonnier turc qui baignait dans son sang sous les coups des gardiens. J'enroulai rapidement la serviette autour de ma taille et sortis de la pièce, laissant les traces de mes pieds mouillés sur le sol en pierre.

Je tombai face à face avec Emin qui portait un costume et une cravate. Il me marmonna quelque chose, mais je ne m'arrêtai pas.

Charles et Popeye étaient presque en bout de rang. Tous deux, surpris, me saisirent par le bras et me poussèrent entre eux. Charles me passa son pull blanc, que j'enfilai immédiatement. Grâce à leur grande taille, on ne voyait pas la partie inférieure de mon individu, qui était toujours enroulée dans ma serviette.

Un gardien comptait les prisonniers qui étaient au garde-à-vous dans un silence total. Il hurla quelque chose à un autre gardien, qui vérifia sur une liste : le compte était apparemment bon.

— *Allah kutarsink*, psalmodia-t-il.

— *Sowul*, répondirent les prisonniers.

— Va te faire foutre, grommela Popeye entre ses dents.

***

Plus tard dans la soirée, Arne sortit sa guitare ; quelqu'un d'autre avait une flûte et Charles apporta son bongo. J'eus beaucoup de plaisir à assister à cet intermède musical. Arne m'expliqua que les Turcs aimaient la musique et autorisaient les prisonniers à garder leurs instruments.

J'étais étrangement heureux. Le *kogus* des étrangers me semblait relativement civilisé, surtout en comparaison avec le commissariat de Sirkeci, et je pouvais envisager d'y passer quelques jours, voire quelques semaines. Emporté par la musique, je me mis à rêver à la liberté sous caution. Peut-être pourrais-je être à nouveau à Long Island dans quelques semaines ?

Lorsque la musique cessa, Charles se mit à écrire sur un petit calepin. Je lui demandai ce qu'il notait.

— Un poème, me dit-il rapidement.

— Tu en écris beaucoup ?

— Ouais. Il faut.

— Pourquoi ?

— Parce que si tu veux tenir le coup ici, il faut faire quelque chose.

— C'est vrai. Moi aussi, j'écris. J'ai fait du journalisme à Marquette.

— Tu as déjà été publié ? me demanda Charles avec intérêt.

— Non. Mais j'ai envoyé une histoire à *Esquire* : ils m'ont répondu qu'ils l'aimaient beaucoup et que...

— Je vois, dit Charles en reprenant son calepin et son bongo avant de quitter la pièce précipitamment.

Vers neuf heures du soir, Emin revint avec Walter.

— *Saat dokus,* annonça le jeune homme dans le couloir. Neuf heures, dit-il pour moi.

— On ferme, Willie. Bonsoir.

— Bonsoir. Merci.

Arne m'adressa un sourire.

Je rentrai dans ma cellule : derrière moi, Emin et le jeune homme enfermaient tous les prisonniers. La fenêtre à barreaux de ma cellule avait un carreau cassé et l'air glacial me fit frissonner. Dehors, une tempête soufflait.

Lorsque Emin s'approcha de ma cellule, je dis à Walter que je voulais des draps et des couvertures. Il traduisit ma requête à Emin, qui se contenta de hausser les épaules.

— J'ai froid. Je voudrais des draps et des couvertures.

— Demain, me dit Walter. Il dit que vous en aurez demain.

La porte à barreaux se referma brutalement : j'entendis Emin chercher les clés de ma cellule, en vain. Il finit par faire semblant de la fermer.

Je fis le tour de mon petit réduit en serrant mes bras autour de mon corps pour me réchauffer. J'entendis Emin fermer toutes les cellules puis monter au second étage. J'avais vraiment très froid et j'étais sûr de ne pas pouvoir passer la nuit ainsi. J'ouvris délicatement pour partir à la recherche d'une couverture.

— Pssst.

Une main se tendit vers moi à travers les barreaux de la cellule voisine. C'était un énorme prisonnier blond, probablement un Autrichien ou un Allemand. Il était torse nu, ce qui me permit d'admirer ses muscles. Il me tendit un long bâton, qui se terminait par un clou en forme de crochet.

— C'est par là, me chuchota-t-il. Deux ou trois cellules plus bas.

Je franchis le couloir sous les regards surpris des autres prisonniers, qui me fixaient en silence à travers leurs barreaux et j'arrivai dans une cellule vide, fermée à clé, où j'aperçus des draps, des couvertures et des oreillers empilés sur la couchette. Je parvins à attraper un drap et deux couvertures grâce à mon bâton et revins jusqu'à ma cellule après avoir rendu l'instrument à son propriétaire en lui offrant l'une des deux couvertures.

— Merci, murmura-t-il.

Je vis que sa cellule était plongée dans l'obscurité alors qu'une ampoule nue éclairait la mienne.

— Comment fait-on pour éteindre la lumière ? lui demandai-je.

— On n'est pas censé le faire, me répondit-il. Mais ils ne disent rien. Il suffit de se mettre debout sur le lit et de s'étirer. On peut dévisser l'ampoule.

En rentrant dans ma cellule, je sentis une fatigue énorme m'envahir. Je venais de passer quarante heures pratiquement sans dormir, et maintenant que j'avais l'estomac plein, un corps propre et une couverture qui, malgré sa minceur, était la bienvenue, je tombai d'épuisement. Après avoir arrangé mon drap et ma couverture sur la planche qui devait me servir de lit, j'éteignis la lumière et m'allongeai.

Je m'endormis probablement aussitôt et perdis la notion du temps. Mais je fus brutalement réveillé par deux mains violentes. Emin me regardait en hurlant quelque chose en turc. Je me redressai d'un bond. D'un geste brusque, il jeta la couverture par terre et tira le drap que je m'efforçai de retenir sur moi.

— *Brack !* cria-t-il en tirant plus fort.

Fou de rage, je lui lançai le drap au visage, le faisant ainsi perdre l'équilibre.

Il se précipita sur moi en hurlant, pointant un index rageur.

Je réagis sans réfléchir et, avant même que j'aie eu le temps de me rendre compte de ce que je faisais, Emin était par terre.

Il me regarda un instant, visiblement effrayé, puis courut à l'autre bout du couloir en hurlant comme s'il allait mourir.

Qu'avais-je donc fait ? Je compris que j'allais avoir des ennuis. Emin frappait contre les barreaux.

— Il est fou, m'expliqua le prisonnier voisin. Cela fait neuf ans qu'il est là : il a égorgé sa femme avec un rasoir.

Un meurtrier ! Formidable ! Je jetai un regard circulaire sur ma cellule à la recherche d'un objet pour me défendre. Mais j'entendis un brouhaha dans le couloir, suivi d'un bruit de clés. J'enfilai à la hâte mon pantalon et mes chaussures pour être prêt à affronter ce qui se préparait.

Les gardiens firent irruption dans ma cellule en hurlant et me poussèrent dans le couloir. Emin faisait un récit enflammé de ce qui s'était passé. Dans cette agitation confuse, mes explications s'avérèrent inutiles. Les gardiens ne me comprenaient pas et le sang qui coulait sur le visage d'Emin était pour eux une preuve suffisante de ma culpabilité.

Ils me poussèrent jusqu'à la cave où deux gardiens-chefs, que j'avais déjà vus, attendaient en fumant une cigarette. Ils me regardèrent ; le plus âgé aux cheveux poivre et sel vint se planter devant moi.

— Vilyom Haï-yes, dit-il en me fixant dans les yeux. Vilyom Haï-yes.

Sans me quitter du regard, il posa quelques questions aux gardiens, puis leva lentement son bras droit et me gifla en plein visage. Je m'effondrai sur les gardiens en ouvrant la bouche pour protester. A ce moment une espèce de décharge électrique me traversa la jambe gauche. Je tombai par terre en hurlant de douleur. Je tournai la tête pour voir le grand gardien ; j'avais l'impression d'être en face d'un énorme grizzly qui me fixait de ses yeux noirs et froids. Il tenait dans sa main une épaisse matraque de bois d'un mètre de long qui avait l'air d'une grosse branche d'arbre.

Je tentai de m'éloigner de lui mais il m'assena un nouveau coup dans le bas du dos qui me reprojeta par terre avec une douleur horrible. Un autre coup à la jambe me fit faire un bond. Je tentai de me protéger du suivant en avançant ma main : je reçus le bâton sur le pouce et ma main fut paralysée.

Les autres gardiens me sautèrent dessus, m'arrachèrent mes chaussures puis mon pantalon. Je tentai de me débattre en hurlant mais ils tinrent bon. Ils m'attachèrent les chevilles avec une grosse corde : deux gardiens en saisirent les extrémités et me soulevèrent les pieds en l'air en tirant. J'étais donc par terre sur le dos, effrayé par ce qui m'arrivait. Je regardai le grand gardien qui avait le bâton dans les mains.

Il prit son temps. Lentement, il leva sa matraque vers l'arrière et l'abattit de toutes ses forces sur la plante de mes pieds nus. Le coup me paralysa puis la douleur m'inonda jusqu'à la colonne vertébrale. Je poussai un hurlement tandis que déjà, il préparait le coup suivant. Je tentai de retirer mes pieds : le bâton cette fois me frappa aux chevilles. Je vis des étoiles danser devant mes yeux et me sentis au bord de l'évanouissement que d'ailleurs je souhaitais sans pouvoir m'y laisser totalement aller. Lentement, très lentement, les coups continuèrent à tomber. Je me tordais et hurlais de douleur, mais en vain. Je ne voyais plus que les regards méchants des gardiens qui faisaient cercle autour de moi.

Les coups continuaient à pleuvoir : dix, douze, quinze peut-être. Je ne comptais plus. En me trémoussant, je parvins à saisir la cheville d'un gardien mais je reçus immédiatement un coup entre les jambes. Plié en deux, je me mis à vomir sur moi.

— *Yetair*, marmonna le grand gardien.

Les autres lâchèrent la corde, laissant ainsi tomber brutalement mes pieds meurtris sur le sol de pierre.

Ils me détachèrent sans douceur. Je ne savais plus ce qui m'arrivait, je n'étais plus que douleur. Deux gardiens me mirent debout mais je m'effondrai immédiatement. D'un geste brutal, ils me relevèrent : je hurlai de douleur et vomis à nouveau. Ils me hurlèrent quelques insultes avant de me lâcher encore par terre. Ils m'abandonnèrent là un instant puis me traînèrent jusqu'à ma cellule, où je retrouvai mes précieux draps et ma couverture.

Allongé sur mon lit, je tentai, en haletant, de reprendre le contrôle de moi-même. Les points d'impact du bâton me causaient des douleurs lancinantes dont la plus insupportable était celle qui me brûlait l'entrejambe. Je priai le ciel pour que ce cauchemar prenne fin.

Le couloir était silencieux. On n'entendait que mes gémissements. Tous les prisonniers savaient ce qui s'était passé. Ils me plaignaient tous mais se réjouissaient de ne pas être à ma place.

Mes pieds me brûlaient toujours : je ne pouvais pas dormir mais je ne supportais plus d'être éveillé.

— Pssst, m'appela-t-on de la cellule voisine. Pssst, William.

46

Je levai la tête ; mon voisin était contre mes barreaux. Il me tendit une cigarette allumée sur laquelle je tirai longuement.

— Merci, chuchotai-je.

C'était du haschich, la cause de tous mes ennuis. J'appréciai son pouvoir sédatif et je me détendis lentement en fumant. La douleur persista un peu mais je finis par sombrer dans un sommeil libérateur.

CHAPITRE 5

Patrick alluma la mèche en serrant de toutes ses forces le pétard.

— Vas-y ! Jette-le, lui criai-je.

Il attendit pendant ce qui me parut être une éternité puis leva lentement l'engin dans l'obscurité au-dessus du Loch Ness. Quelle formidable idée pour fêter Halloween ! Si cela n'effrayait pas le monstre, alors rien ne pourrait jamais lui faire peur. Patrick avait des dizaines de pétards tout prêts. Je m'assis en face de lui dans le canot et réglai mes flashs et mon appareil photo. Nous avions tous deux l'espoir de devenir riches et célèbres grâce à ces documents.

Mais cela ne se passa pas comme prévu. Le pétard s'éleva dans le ciel et sembla flotter un moment. La mèche laissa échapper quelques étincelles au-dessus de nos têtes et devint de plus en plus grosse. Elle semblait foncer sur le canot et j'essayai de fuir. Dans ma panique, je me coinçai les pieds sous le siège et je tombai, précipitant ainsi l'appareil dans les eaux obscures du lac.

Au-dessus de moi, la mèche poursuivait sa lente descente tandis que j'essayais toujours désespérément de dégager mes pieds de dessous le siège. J'étais paralysé par la peur et j'avais le souffle coupé. Le pétard vint éclater devant mes pieds.

... Je me réveillai, les pieds justement en feu. La douleur lancinante m'avait tiré de mon rêve pour me plonger dans ce cauchemar. Dans moins de trois semaines, j'étais censé aller retrouver mon ami Patrick en Écosse pour réaliser notre vieux rêve d'enfance qui était de partir à la recherche du monstre du Loch Ness pour Halloween. Cela me semblait très compromis à présent.

En dépit du froid matinal, mes draps étaient trempés de sueur. J'étais étendu sur mon lit, baignant dans mon vomi, tendant l'oreille aux bruits de la prison qui s'éveillait. Bruits de tuyauteries, de clés dans les serrures et, comme au commissariat, quintes de toux sèche et crachats composaient l'hymne matinal de la prison. Plus loin dans le couloir, quelqu'un alluma la radio et mit le son très fort.

— Éteins-moi ça ! hurla quelqu'un d'autre.

Une autre voix répondit en allemand.

D'autres cris, d'autres injures suivirent puis j'entendis le bruit d'une bagarre. Quelqu'un tomba et la radio se tut.

Une odeur épouvantable s'échappait de l'étage supérieur. Cela ressemblait à du caoutchouc brûlé.

Les nécessités biologiques me forcèrent à surmonter la douleur. Je me glissai péniblement jusqu'au bord du lit puis, risquant à chaque instant de m'effondrer sur le sol, je parvins à boitiller en me tenant au mur jusqu'au trou qui servait de toilettes. Je retins ma respiration, saisis une boîte en fer blanc rouillée posée près d'un robinet qui fuyait et la remplis d'eau froide que je jetai par terre. Geste malheureux puisque cela souleva de fortes vapeurs d'ammoniaque. Je dus alors m'éloigner du trou le plus possible en m'agrippant au mur pour pouvoir me soulager.

Le retour jusqu'au lit fut tout aussi douloureux. J'examinai mes pieds, qui étaient rose vif et très enflés. Luttant contre la douleur, je m'efforçai de bouger mes orteils un par un. Contre toute attente, je n'avais pas de fracture mais une grande meurtrissure rougeâtre indiquait l'endroit où la matraque avait frappé. Mon dos était meurtri et j'avais une très forte douleur à l'aine ; je me souvins alors qu'un jour, pendant un match de football au lycée, j'avais reçu un coup au même endroit et que j'avais pensé à ce moment-là que l'on ne pouvait pas souffrir davantage. Mais je m'étais trompé. J'avais maintenant l'impression que quelque chose avait éclaté dans mon corps.

Arne et Popeye vinrent me voir et m'apportèrent des œufs durs et une tasse de thé.

— Comment vas-tu, Willie ? me demanda Arne.

— Je ne suis pas mort, enfin pas tout à fait.

— Ouais, ils t'ont pas raté. Tu crois que tu peux avaler quelque chose ?

— Je vais essayer. On a toujours des choses comme ça à manger ?

— Sûr que non, dit Popeye. On ne donne pas ce genre de trucs. Quelquefois ils passent avec un chariot pour les vendre, mais c'est assez rare. Enfin, on peut survivre. Si tu as de l'argent, ça va. Mais si tu te contentes de leurs fayots, alors là, c'est vraiment dur.

Je mangeai avidement. Arne examina mes pieds en les soulevant très délicatement pour voir si je n'avais rien de cassé.

— Il faut faire couler de l'eau dessus, m'ordonna-t-il.

— Impossible. Cela me fait trop mal.

— Il le faut absolument. Sinon, ils vont enfler encore plus et tu ne pourras pas marcher pendant des semaines.

Popeye m'adressa un sifflement à la Harpo Marx pour appuyer ce conseil.

Ils m'aidèrent à aller jusqu'à l'évier et me soulevèrent les pieds. Le filet d'eau froide me fit grimacer mais, après le choc initial, la sensation fut agréable.

— Maintenant, il faut que tu ailles marcher à l'extérieur.

— Tu es fou, dis-je à Arne.

— Non, je te l'ai dit, c'est la seule façon de t'en sortir. Si tu restes allongé, tes pieds vont enfler et tu seras cloué au lit pendant des semaines. Mais si tu marches un peu chaque jour, tu iras très vite mieux.

Popeye siffla à nouveau pour confirmer la prescription.

— D'accord. D'accord.

Ils me laissèrent reprendre des forces puis m'aidèrent, en me servant d'appuis, à sortir de la cellule jusqu'au couloir et de là dans la cour.

Ce que l'on appelait la cour était en fait un cube de béton sans toit dont les parois faisaient environ quatre mètres de haut. Le sol était jonché de mégots, de peaux d'orange, de feuilles de journaux, de pierres, de bâtons, de morceaux de verre. Des hommes tout aussi peu nets arpentaient le réduit, certains avec une nervosité évidente. D'autres marchaient en rond en fixant le sol. Tout au bout, deux prisonniers évoluaient ensemble au pas de l'oie.

Je fus surpris de voir des enfants. Des gamins des rues jouaient bruyamment au foot en courant autour des autres prisonniers comme s'ils étaient des obstacles intentionnels au jeu. Certains hommes ignoraient les enfants ; d'autres s'énervaient au moindre dérangement.

Le ballon vint rebondir sur la tête de Popeye, qui se retourna en hurlant quelque chose en turc : les enfants ne firent pas attention à lui.

— Qui sont ces gosses ? demandai-je à Arne.

— Ils viennent de ce *kogus*, m'expliqua-t-il en me montrant du doigt une rangée de cellules de l'autre côté de la cour. Nous devons partager cette cour avec eux.

— Mais que font-ils ici ? Pourquoi sont-ils en prison ?

— Eh bien, les Turcs pensent que ces gosses ne sont pas dangereux, qu'ils ne vont pas poignarder les étrangers, du moins pas trop souvent. Et puis les étrangers ont toujours un peu d'argent ; alors nous les aidons à s'en sortir. Ce sont des mendiants. C'est bien ainsi pour tout le monde.

— Mais quels délits ont-ils commis ?

— Les mêmes que les Turcs adultes. Ces petits bâtards sont des super-voleurs. Ils volent à la tire, violent, tuent même parfois.

— Quoi ? Mais ce ne sont que des gosses !

— Ils grandissent vite ici, tu sais, dit Popeye.

Nous marchâmes un moment puis Arne et Popeye me laissèrent seul : je m'assis alors contre un mur dans un coin de la cour, en veillant à ne pas me faire piétiner par les enfants. Ces gosses me fascinaient et m'effrayaient par l'énergie et l'habileté dont ils faisaient preuve pour jouer, mais aussi par l'âpreté de leur hargne.

Charles vint me rejoindre dans la cour, vêtu de son vieux blue-jean délavé et de ses baskets. Il était très grand et marchait avec décontraction, transportant avec lui son petit calepin. Il se baissa pour examiner mes pieds.

— *Getchmis olsun*, dit-il.

— Qu'est-ce que ça veut dire ?

— Je souhaite que cela guérisse vite.

— Merci. Je l'espère aussi.

— Je suis vraiment désolé que tu aies eu à supporter cela, Willie, mais je suis content que tu aies tenu tête à Emin. Aucun des Américains qui sont passés par ici n'étaient des poules mouillées, et je suis heureux que tu aies été à la hauteur de notre réputation.

— Mieux valait me faire briser les pieds que notre image de marque, c'est ça ?

— Non, mais c'est bien que tu lui aies tenu tête. Si les Turcs pensent qu'ils peuvent faire ce qu'ils veulent de toi, ils n'arrêteront jamais de t'embêter. Là, maintenant, tout le monde te laissera tranquille. Ils savent tous que tu ne te laisses pas faire, et c'est une bonne chose ici.

J'étais content de voir Charles faire un effort pour établir un lien avec moi.

— Excuse-moi pour les conneries de l'autre soir avec l'histoire d'*Esquire*.

— Ce n'est rien, ne t'inquiète pas. Tous les types ont besoin de prouver quelque chose en arrivant ici. Il faut du temps pour comprendre et, en un sens, toi, tu as eu de la chance. Tu as reçu une leçon très importante hier soir. Tu as vu comme les Turcs peuvent nous baiser, et ça, c'est positif. D'ailleurs, tu t'en es sorti à peu de frais, après tout.

— A peu de frais ?

— Tu n'as rien de cassé ?

— Non.

— Tu t'en es donc bien tiré. Il y a deux mois, ils ont vraiment arrangé un étranger, un Autrichien qui s'appelait Pepe. Ils lui ont cassé les os du pied, le type s'est plaint auprès du consulat et ça a fait un grabuge terrible. Depuis, ils essaient de ne pas trop abîmer les étrangers.

J'avais peut-être eu de la chance mais je n'en avais pas du tout l'impression à ce moment-là.

***

Charles me dit qu'il voulait écrire et je m'écartai de lui un moment. La pierre froide du sol de la cour me soulageait les pieds. Je m'assis contre un mur, dans la fraîcheur de ce matin d'octobre. Tout d'un coup, mon attention fut attirée par un détail : toute la cour était en béton mais, en plein milieu, un petit rectangle était couvert de saletés qui dissimulaient en fait une bouche d'égout. Je m'approchai pour mieux voir.

— Pas la peine, me dit une voix bourrue. On peut se glisser par ce trou mais le passage se resserre au-dessous. Impossible de passer.

— Je voulais simplement voir.

— Écoute, me dit mon voisin à voix basse, je suis vraiment désolé pour ce qui s'est passé à propos des couvertures. Tu as vu ce qui t'est arrivé le premier jour. Ici il faut apprendre et comprendre très vite, c'est la seule façon de survivre. La seule façon de garder une chance d'en sortir.

— Oui, peut-être. Mais j'ai l'impression que, d'une façon ou

52

d'une autre, je m'en sortirai facilement, que je pourrai par exemple obtenir une mise en liberté sous caution.

— D'accord. Mais si tu n'y arrives pas, essaie de tout comprendre très vite.

Le type s'appelait Johann Seiber ; il était autrichien et purgeait une peine de quarante mois pour avoir passé une voiture clandestinement. Il m'expliqua qu'en Turquie on pouvait toujours obtenir une remise d'un tiers de la peine pour bonne conduite ; sa peine avait donc été réduite à vingt-six mois et vingt jours. Il était là depuis vingt et un mois déjà. Il me dit qu'au début, il avait cherché à s'enfuir par tous les moyens mais qu'il n'avait jamais réussi à parvenir à ses fins et qu'il était maintenant résolu à purger les six mois qui lui restaient et à partir libre, dans la légalité. Puis il me proposa de l'accompagner dans la cuisine où il avait, me dit-il, quelque chose à me montrer.

Avec son aide, je parvins à regagner péniblement l'intérieur du *kogus* et m'assis sur un banc dans la cellule où je m'étais lavé la veille. Un prisonnier était occupé devant la petite cuisinière à trois brûleurs. De l'eau chauffait dans plusieurs casseroles. Johann sortit quelques pièces de sa poche et revint jusqu'à moi avec deux tasses de thé à la turque bien chaud.

— C'est horrible, dis-je. Ce thé est épouvantable.

— Pas si mauvais que ça, dit Johann après avoir goûté le sien. Un peu mieux que la moyenne. Tous les mois, c'est quelqu'un de nouveau qui est chargé de vendre le thé. Certains le font très faible pour se faire plus d'argent. Mais tu t'y feras.

Je n'étais pas sûr du tout de finir par apprécier quoi que ce soit dans cet endroit. Je savais maintenant que ce n'était pas beaucoup mieux que le commissariat de police. Je comprenais pourquoi Charles s'était fâché contre moi la nuit dernière. Comment pouvait-on supporter cette saleté, ce bruit, ces odeurs, cette eau sale et grasse qui tenait lieu de soupe et que je les avais vus avaler hier ?

Johann tourna le dos au vendeur de thé et fit un signe de tête presque imperceptible en direction du mur du fond. Je suivis son regard et découvris une porte, d'un mètre carré environ.

— C'est une porte pivotante, me chuchota-t-il. Elle est cassée depuis des années et inutilisée depuis une révolution quelconque. Elle conduit à une cage d'escalier qui mène de la cave au second étage de cellules.

— Et qu'y a-t-il à la cave ?

— Tu te souviens de la pièce d'hier soir ?

— Oui. Mais comment peut-on sortir de là ?

— Je ne sais pas. Mais cela te permettra au moins de sortir du couloir des cellules. Peut-être y parviendras-tu en achetant un gardien ou en te procurant un fusil.

— Cela doit être risqué d'essayer d'acheter un gardien.

— Ouais, mais tout le monde le fait. Tu verras très vite tout ce que tu peux acheter ici avec un paquet de Marlboro. Leurs cigarettes sont tellement dégoûtantes !

Nous bûmes en considérant la porte.

— Si je devais vraiment essayer, dit soudain Johann, je crois que je ferais tout pour être transféré à Bakirkoy.

— Qu'est-ce que c'est ?

— Bakirkoy ? C'est l'hôpital psychiatrique. Des Turcs s'en échappent tous les jours. La surveillance ne doit pas être très sérieuse. Tout le monde dit que c'est facile d'en sortir. Oui, s'il ne me restait pas que six mois, j'irais à Bakirkoy.

— Et comment ferais-tu pour y aller ?

— Oh, je ne sais pas. J'essaierais d'acheter le médecin de la prison par exemple. Si tu es prudent et très intelligent, je peux t'arranger quelque chose.

Notre conversation fut interrompue par un grand bruit dans la cour. Johann se précipita dans le couloir pour voir par la fenêtre ce qui se passait. Je me traînai péniblement derrière lui et restai figé sur place en apercevant le gardien qui m'avait matraqué se pavaner en compagnie de son ami aux cheveux poivre et sel et d'un troisième homme, petit et vêtu d'un costume sombre très soigné.

— Qui est ce grand gardien ? demandai-je.

— Hamid. Tout le monde l'appelle « l'Ours ». C'est le gardien-chef et le seul à porter une arme. Il vaut mieux ne pas être sur son chemin.

— Trop tard.

— Ouais.

— Qui est l'autre gardien ?

— Arief. On l'appelle « le Briseur d'Os » ; c'est le second de Hamid. Il vaut mieux se méfier de lui aussi.

Les deux gardiens fixaient d'un air menaçant un groupe d'enfants. Le petit homme en costume hurlait des questions sur un ton hargneux. Soudain il gifla l'un des enfants.

— C'est le pire de tous, marmonna Johann.

— Qui est-ce ?

— Mamur, dit « la Belette ». C'est le deuxième après le directeur mais c'est le chef ici parce que le grand patron ne prend jamais la peine d'entrer. Si Mamur s'intéresse à toi, tu es foutu.

Quelques jours passèrent. Mes pieds guérirent mais mon anxiété se faisait de plus en plus grande. Je n'avais toujours pas eu de nouvelles du consul américain, ni de mon avocat, et je n'avais aucune information sur la date éventuelle de mon procès. J'avais l'impression qu'on voulait me laisser moisir ici. Arne me dit que le gouvernement turc envisageait d'accorder une amnistie à tous les prisonniers, mais il ne savait pas si ce projet concernerait les gens récemment incarcérés. J'avais une foule de questions à poser mais, selon Charles, les gens du consulat ne venaient pas ici très souvent.

Je n'avais pas de livres, pas de papier pour écrire, pas d'argent. Charles me céda quelques feuilles pour que je puisse écrire à mes amis, mais les lettres étaient censurées. Je n'arrivais pas à m'exprimer, sachant que j'allais d'abord être lu par mes geôliers. Et d'ailleurs, que pouvais-je dire ? J'étais en prison mais je ne savais pas ce qui allait m'arriver. Je ne savais pas si ma libération était pour dans huit jours ou dans un mois et j'écrivis un petit mot à Patrick pour lui dire que je ne pourrais pas être au rendez-vous pour Halloween au bord du Loch Ness. J'écrivis aussi une autre lettre à mes parents, ainsi qu'une à mon frère Rob et une à ma sœur Peg ; j'eus beaucoup de mal à trouver les mots.

Tous les matins, au réveil, une angoisse me serrait la gorge. Mon corps était courbatu par les heures passées sur la planche ; j'étais épouvanté par la puanteur ambiante et la toux de mes voisins me rappelait constamment que je vivais dans une cage.

Mes jambes et mes pieds retrouvèrent lentement leur force. Tous les matins, je faisais les cent pas dans ma cellule avant que Walter ne vienne ouvrir la porte puis je me hâtais de sortir dans la cour dès que la grille était ouverte. Parfois, c'était à 6 h 30, d'autres jours à 8 heures. Rien ne semblait suivre un horaire très strict. Mais, dès que la porte s'ouvrait, j'en profitais immédiatement pour aller respirer l'air vif du matin et regarder le ciel. Oubliant alors les murs de béton, j'admirais les nuages, les oiseaux et les matins bleus d'automne.

Enfin, après plus d'une semaine d'angoisse, un gardien vint me chercher un matin :

— Vilyom Haï-yes ?

J'avais une visite.

On m'emmena en dehors du *kogus*, dans le parloir où je vis de longues tables et plusieurs chaises. Je ne pus m'empêcher de regarder par la fenêtre : devant moi s'étalait un paysage de campagne à perte de vue, et je fus heureux de pouvoir un instant jouir de cette vue sans que mon regard se heurte à un mur.

Un gros Turc souriant m'attendait. Ses cheveux fins, noirs et gominés, avaient été coiffés en arrière pour masquer une calvitie naissante. Il se leva précipitamment et vint me serrer la main.

— William Hayes, dit-il sans une trace d'accent. Je suis Necdet Yesil.

C'était mon avocat, enfin.

— Asseyez-vous, dit-il en m'offrant une cigarette américaine que j'acceptai nerveusement, déjà pris par l'habitude du lieu de fumer constamment. Je viens d'être contacté par le consul américain et je suis venu immédiatement. Tout va bien ?

— Pas vraiment. Que se passe-t-il ? Que va-t-il m'arriver ?

— Ne vous inquiétez pas, me rassura-t-il. Si nous agissons tout de suite, nous aurons le bon tribunal, le bon juge et nous pourrons tout arranger. Je pense que nous pourrons obtenir une liberté sous caution. Au pire, une peine de vingt mois. Mais j'ai bon espoir d'obtenir une liberté sous caution.

— Je ne veux pas d'une peine de vingt mois. Je veux sortir tout de suite.

— Je sais. Je pense que cela marchera. Pouvez-vous avoir de l'argent ? me demanda-t-il gravement après un temps d'arrêt.

Bien sûr que je le pouvais ! Pourquoi pas ? Je pouvais en emprunter à mon père. Mais me le prêterait-il ? Je tremblai au souvenir de notre dernière rencontre orageuse. J'avais tant voulu être indépendant, mon père n'allait-il pas m'abandonner maintenant ?

— Combien cela va-t-il me coûter ?

— Sans doute vingt-cinq mille livres turques.

— Et en dollars ?

— Deux à trois mille dollars.

Je savais que je me débrouillerais pour avoir l'argent. Je ferais toutes sortes de promesses à mon père pour qu'il me procure cette somme, je le rembourserais, j'accepterais même de retourner à l'université ou de travailler. Tout pourvu que je puisse sortir de cet enfer.

— Euh... Combien d'argent avez-vous pour le moment ? me demanda Yesil. Il nous faut commencer très vite.

— J'ai les trois cents dollars de mon billet d'avion. On m'a dit qu'on avait mis mon argent à la banque de la prison.

— Il me faut deux cent cinquante dollars, me dit brusquement Yesil en me tendant une feuille.

Tout à mes rêves de liberté sous caution, je signai le papier.

***

— Qui t'a rendu visite ? me demanda Johann lorsque je revins dans le *kogus*.

— Mon avocat. Il pense qu'il peut m'obtenir la mise en liberté sous caution.

— Ah ! fit Johann sans surprise. Et qui est-ce ?

— Yesil.

— Yesil... Yesil ? Je crois que c'est lui qui était l'avocat de Max.

— Qui est Max ?

Johann m'accompagna au deuxième étage, dans la cellule qui se trouvait juste au-dessus de la mienne. La pièce était plongée dans une obscurité quasi totale à l'exception d'un rai de lumière qui filtrait par la fenêtre du couloir. Johann me présenta à Max Van Pelt, un Hollandais efflanqué qui me fixa à travers ses épaisses lunettes posées de travers sur son nez. Je l'avais déjà vu dans le *kogus* mais jamais dans la cour. Il avait l'air grave, peu désireux de bavarder. Johann lui demanda de me parler de Yesil.

Max alla chercher une cuillère, une bouteille de liquide marron, une bougie et une seringue hypodermique qui étaient rangées dans son casier. Il alluma la bougie, prit une cuillerée de liquide. Devant mon regard surpris, Johann me fit signe d'attendre.

Max maintint le liquide au-dessus de la bougie pour le faire bouillir. Je reconnus alors cette odeur prenante qui envahissait si souvent ma cellule.

— Qu'est-ce que c'est ? demandai-je.

— Du Gastro, un médicament pour l'estomac qui contient de la codéine.

Johann et moi regardâmes en silence Max préparer sa mixture. Lorsqu'il eut fini la cuisson, il avait sur sa cuillère un produit noir de consistance épaisse dont l'odeur me souleva le cœur. Avec une grande prudence pour ne pas en laisser tomber une seule goutte, Max l'aspira dans sa seringue hypodermique.

— J'étais avec cette petite Américaine, me dit-il calmement. Nous avons essayé de passer la frontière à Edirne, dans l'Ouest, près de la Grèce. Nous avions dix kilos de hasch dans la voiture. C'est Yesil qui a été notre avocat.

Max se fit un garrot avec un bout de ficelle. Il chercha un endroit encore non utilisé parmi les traces sales et infectées qui recouvraient son bras et y piqua l'aiguille pour s'injecter le produit noir. Puis il défit le garrot et me regarda droit dans les yeux.

— Le père de la fille est venu des États-Unis, poursuivit-il. Il a donné beaucoup d'argent à Yesil qui a dit que tout se passerait bien.

Max s'arrêta, le regard soudain lointain.

— Qu'est-ce que je disais ? demanda-t-il, l'air perdu.

— Yesil, souffla Johann.

— Ah oui, Yesil. Yesil avait dit que tout irait bien. Nous sommes allés au tribunal. Yesil, ce salaud, s'est levé... a dit que la fille était innocente... que c'était une idée à moi. La fille a été libérée, ajouta-t-il en s'agitant.

— Et toi ? demandai-je.

Silence.

— Et toi ? répétai-je.

— Quoi ?

— Quelle peine as-tu eue ?

Max posa lentement sa tête sur ses genoux pour me déclarer d'une voix étouffée, à peine audible :

— Trente ans.

CHAPITRE 6

Mes pieds guérirent lentement. Chaque jour, je m'astreignais à arpenter la cour : quatorze pas d'un côté, trente-deux de l'autre. J'avais désespérément envie de marcher en ligne droite sans venir buter contre un affreux mur de béton. Je compris alors pourquoi les animaux ne cessent de tourner en rond dans leur cage.

Emin ne tarda pas à retrouver la grosse clé métallique de ma cellule. Tous les soirs, à neuf heures, j'étais enfermé dans cette petite pièce où je ne pouvais faire que cinq pas en avant et cinq pas en arrière et où le froid ne me permettait de dormir que par intermittence.

Le matin, je me réveillais avec le jour, plusieurs heures avant l'ouverture des cellules par l'assistant d'Emin, Walter. J'attendais, blotti sous mes couvertures, et je passais ainsi du rêve à une réalité qui, tous les jours, était un choc. Je gardais les yeux fermés le plus longtemps possible pour ne pas voir les barreaux en face de moi.

Je pouvais à peine respirer dans ma minuscule cellule.

***

Puis un matin, on vint enfin me chercher pour une visite. Probablement le consul ou Yesil, pensai-je. J'étais content de traverser ce long couloir sans avoir à tourner après le trente-deuxième pas. Les gardiens avaient l'air aimable, essayant même de me faire un brin de conversation. Je leur souris en marmonnant « américain » et « Nev York » à toutes leurs questions.

L'un d'entre eux me fit entrer dans le parloir où m'attendait le consul, escorté d'un Américain aux yeux bleus de type irlandais. Nous fûmes attirés l'un vers l'autre, nous nous serrâmes l'un contre l'autre, sa main gauche étreignit interminablement mon bras. Nous nous regardâmes à travers nos yeux embués de larmes. Il avait l'air si fatigué, si malheureux. Je ne m'étais jamais rendu compte à quel point j'aimais mon père.

— Papa... Excuse-moi... Je...

— Ne t'inquiète pas, me coupa-t-il d'une voix tremblante. Tu auras ta fessée plus tard, ajouta-t-il avec un sourire forcé. Maintenant, il faut que nous te sortions de là. Vas-tu bien ?

— Dans les circonstances présentes, ça peut aller.

— D'accord. Je vais t'expliquer ce que nous allons faire.

Nous nous assîmes avec le consul et mon père me donna quelques informations.

— Je suis entré en contact avec des gens du Département d'État qui m'ont donné le nom de deux avocats turcs. Ce sont les meilleurs pour ce genre de cas, et je dois les voir cet après-midi.

— J'ai déjà vu un avocat ; il s'appelle Yesil.

— Nous le renverrons. Je veux que tu aies le meilleur. C'est très important.

— Fais attention, Papa. J'ai entendu un tas d'histoires épouvantables à propos des avocats turcs.

— C'est pourquoi je veux que tu prennes l'un de ces types. Ils nous sont recommandés par des compatriotes.

— Mais cela doit coûter une fortune.

— Ne t'inquiète pas pour cela maintenant. Tu me rembourseras plus tard. Pour le moment, l'argent n'a aucune importance.

Nous fîmes tous deux un effort pour refouler nos larmes.

— Bon... Euh... Comment ça se passe pour toi ? Où es-tu logé ?

— Au *Hilton*.

— Comment va Maman ?

— Elle se fait beaucoup de souci. Elle aurait voulu venir aussi mais elle avait l'impression qu'elle ne supporterait pas.

— Bien sûr, dis-je en regardant le paysage par la fenêtre. Dis-lui de ne pas s'inquiéter. Je vais bien. Dis-lui que je serai à la maison pour Noël.

— ... Oui.

60

Nous bavardâmes pendant à peu près une heure. Mon père me dit qu'il reviendrait le lendemain après son entretien avec les avocats et me demanda ce qu'il pouvait m'apporter. J'avais honte de lui demander de m'acheter certaines choses, car je savais bien ce qu'il devait ressentir, lui, un homme fier, de devoir être là. Je savais combien il devait souffrir de voir son fils en prison, incarcéré pour avoir tenté de transporter du haschich en avion. Mais il avait mis ses propres sentiments de côté : j'avais besoin de lui et il était là.

Je ressentis soudain un grand respect pour ses valeurs. Mon père savait comment faire face à une situation comme celle-ci, il savait prendre des décisions. C'était le genre d'homme dont j'avais besoin pour me défendre.

Avant son départ, ce jour-là, nous fîmes une liste : un pyjama, une brosse à dents, des cahiers, du chocolat. Il me dit qu'il avait déposé cent dollars à la banque de la prison pour que je puisse acheter de la nourriture supplémentaire pour moi et pour mes amis.

Lorsque mon père se leva pour me dire au revoir, nous nous serrâmes la main. Je fis un effort pour sourire.

— Bois une bière au *Hilton* à ma santé, lui dis-je.

— J'en boirai même deux, me dit-il. Au revoir, Bill. A demain.

— D'accord, Papa. Merci.

Je mourais d'envie de franchir la porte avec lui et de voir la lumière du jour.

***

Mon père revint le lendemain avec des nouvelles des avocats. Il avait pris Maître Beyaz et Maître Siya, deux des meilleurs avocats de droit criminel d'Istanbul. Tous deux lui avaient assuré qu'ils pensaient m'obtenir une peine de vingt mois, peut-être même une mise en liberté sous caution.

— Si j'obtiens la liberté sous caution, lui dis-je, je pourrai quitter le pays. On m'a dit qu'on pouvait passer très facilement la frontière grecque.

Au consulat il avait eu de plus amples informations sur la situation locale. Les Turcs étaient apparemment très inquiets de la récente vague de détournements d'avions et avaient décidé de procéder à des perquisitions-surprises à l'aéroport. J'étais l'un de leurs premiers succès, un spécimen.

Mon père m'avait apporté un sac contenant de la nourriture et des bonbons, du papier, une brosse à dents et un pyjama vert à rayures noires.

— On dirait un uniforme de Sing-Sing.

— J'ai pensé que ça te plairait, me dit-il en souriant.

Il vint me voir tous les jours pendant une semaine. Nous parlions du passé ; il me donnait des nouvelles de la maison, de New York, de tout cet univers qui me semblait si loin.

— Maman a joué au bingo récemment ?

— Bien sûr, tu la connais, me répondit Papa en riant. Rien ne peut l'empêcher de jouer au bingo. Et puis cela lui fait du bien : elle a besoin de se distraire en ce moment.

— Est-ce que les voisins sont au courant ?

— Non, je ne crois pas. Nous n'en avons parlé qu'à la famille. J'ai dit à tout le monde que tu étais hospitalisé en Europe.

— Alors, que penses-tu d'Istanbul ? demandai-je pour changer de sujet.

— C'est intéressant mais, à dire vrai, je trouve la nourriture infecte. Les horreurs qu'ils vendent dans ces petits restaurants ! J'y suis allé le premier soir et j'ai encore peur de m'éloigner des toilettes !

— Des toilettes ? Il y en a donc ici ? Nous, nous avons un trou dans le sol.

— Oui, c'est ça. J'en ai fait l'expérience sur le tas. Et il n'y a pas de papier non plus.

— Exact.

— Mais moi je suis au *Hilton*, et j'y prends mes repas maintenant.

— Nous, nous appelons cette prison le Hilton de Sagmalcilar.

Nous parlâmes un peu du haschich. Mon père était gêné d'aborder le sujet et parut très surpris lorsque je lui appris que c'était un dérivé de la marijuana.

— Je n'approuve pas non plus l'usage de la marijuana, me dit-il, mais la plupart des gens semblent dire que ce n'est pas dangereux. Si tu avais vraiment envie de faire ce genre de chose, pourquoi ne t'es-tu pas contenté de la marijuana ?

— Le haschich est plus concentré, expliquai-je, et il est plus facile à cacher.

— Quelle idiotie, Billy, ajouta-t-il après un instant de silence. Quelle idiotie !

— Je sais.

62

— Ne fais plus de bêtise, je t'en prie. Attends là et laisse-moi faire avec les avocats. On va te sortir de là, d'accord ?

— D'accord.

Nous envisageâmes toutes les tactiques légales possibles ; je lui fis part de la suggestion de Johann consistant à me faire interner à l'hôpital Bakirkoy, d'où il serait facile de s'échapper. Mais l'idée d'une évasion faisait peur à mon père, bien que les avocats lui aient déjà dit que, si j'avais un rapport psychiatrique de Bakirkoy, je ne pourrais être accusé d'aucun délit. Je ne me sentais ni plus fou ni plus sain d'esprit que la plupart des gens mais je savais maintenant qu'un épisode de ma vie pouvait m'être utile : les médecins de l'armée américaine m'avaient en effet déclaré psychologiquement inapte. C'était l'une des pistes que mon père accepta d'étudier, promettant d'envoyer ce rapport militaire à Beyaz et à Siya.

L'heure de son départ d'Istanbul arriva trop vite à mon gré. Il me dit qu'il reviendrait dans deux ou trois mois, ou plus tôt si cela s'avérait nécessaire, m'encouragea à rester calme et à attendre patiemment le procès qui devait avoir lieu trois semaines plus tard. Il me dit au revoir avec un sourire forcé.

***

Beyaz et Siya vinrent me voir plusieurs fois au cours des semaines qui suivirent pour préparer ma comparution. Beyaz était petit et trapu, avec de longues mèches blanches autour de son crâne chauve et des sourcils touffus ; Siya était grand, épais et laissait toujours parler Beyaz. Nos conversations se faisaient d'ailleurs par l'intermédiaire d'un interprète, qui n'était autre que l'affreux Yesil, qui avait refusé d'abandonner mon affaire. Il avait déjà reçu deux cent cinquante dollars et avait bien l'intention de m'en extorquer davantage. De toute façon, nous avions absolument besoin d'un interprète.

Mes avocats m'avaient conseillé d'insister sur le fait que je m'étais procuré du haschich uniquement pour ma consommation personnelle et de ne pas dire que j'avais l'intention d'en vendre une partie. Le juge devinerait sans nul doute la vérité mais cela devait permettre d'établir un rapport très clair qui, le moment venu, servirait ma cause lorsque mon cas passerait devant la haute cour d'Ankara.

Arne, Charles et moi préparâmes mon témoignage dans la cellule de Charles, la veille du procès.

— Première règle, me dit celui-ci, parle simplement. Tout ce que tu dis est traduit en turc et, donc, doit être très clair. Ici, on est coupable tant que l'innocence n'est pas prouvée.

— Tu plaisantes !

— Pas du tout ! Ce n'est pas comme ça dans les textes, bien sûr, mais c'est la réalité. On peut te coffrer pour un simple accident de voiture.

— Je ne te crois pas. Pour un accident de voiture ?

— Ils ont coffré un Bulgare pour cela. Il a passé six mois ici.

— Mais qu'est-ce qui s'était passé ? Il y avait eu des morts ?

— Oui. Le chauffeur de l'autre voiture.

— C'était donc un accident grave. Il méritait peut-être sa peine.

— Oui, peut-être, me dit Charles d'un air las. Sauf qu'il était en train de déjeuner au *Pudding Shoppe* au moment où un Turc complètement soûl est rentré dans sa voiture en stationnement.

— Quoi ? Il n'était même pas dans son véhicule ?

Charles me fit non de la tête.

— Et il a pris six mois ?

Nouveau signe de tête.

— Euh... Je devrais peut-être revoir un peu ma déposition.

Il approuva d'un signe.

— Sois clair. Il faut parler simplement à ces simples d'esprit. Dès que ça se complique, ils ne suivent plus.

— Il faut que je fasse une bonne impression, dis-je. Il le faut absolument.

— Ça, c'est sûr, acquiesça Charles.

— Peut-être obtiendrai-je une mise en liberté sous caution ?

— Peut-être, dit Arne en levant les yeux de son livre.

Popeye passa la tête dans la cellule.

— Arrête de rêver de liberté sous caution, me dit-il. Estime-toi heureux si tu t'en tires avec quatre ou cinq ans.

— Tu es du genre optimiste, toi, au moins ! lui dis-je avec agacement.

Il me jeta un regard froid puis éclata de rire.

— Mon pauvre William ! Tu ne comprends rien. Et tu ne m'aimes pas, c'est évident. Mais ça ne fait rien. Je t'assure que nous serons amis l'année prochaine à la même date. J'espère pour toi que tu seras sorti mais je crois sincèrement que tu vas te taper des platées de fayots avant de retrouver les hamburgers.

Un silence embarrassé s'installa entre nous. Arne finit par intervenir :

— Ce n'est pas la peine de se faire du souci maintenant pour ce qui se passera demain.

Arne était très calme, ses deux longues mains posées sur les genoux. Je n'arrivais pas à comprendre la sérénité avec laquelle il acceptait son sort.

— Ce soir, tu dois préparer ta déposition, me dit-il.

— C'est pour ça que je suis venu te voir, intervint Popeye. As-tu un pantalon correct ?

Je lui répondis par un haussement d'épaules.

— Alors mets celui-ci demain, me dit-il en me tendant un pantalon vert foncé. Il faudra le remonter un peu à la taille, mais ce sera toujours mieux que ton jean.

— Merci.

— C'est mon pantalon porte-bonheur, précisa-t-il. Je l'ai porté le jour de mon procès.

— Mais tu as pris quinze ans !

— Seulement quinze ans !

— Et tu estimes avoir eu de la chance ?

— Absolument, fit-il en riant avant de se sauver.

— Ne le laisse pas te tracasser, me dit Arne. Il est un peu fou et très pessimiste, mais cela part d'un bon sentiment : il ne veut pas que tu sois déçu demain.

Les autres m'aidèrent à compléter ma tenue. Charles me prêta une chemise et une cravate, Arne un pardessus et Johann vint m'apporter une paire de chaussures noires : cela faisait un ensemble très composite.

Le lendemain, les soldats transportèrent plusieurs dizaines de prisonniers au tribunal et nous déposèrent à l'endroit même où j'avais exécuté ma séance de jonglage. La pièce sentait le tabac de mauvaise qualité ; les toilettes, derrière une porte rouillée et grinçante, étaient inondées. Dans un coin de la pièce, des Turcs bien habillés étaient assis sur une couverture : ils jouaient aux dés et poussaient des cris de joie ou de colère au gré de leurs gains et de leurs pertes. L'odeur des toilettes arrivait jusque-là et venait se mêler à celle du haschich.

— Joe ! cria quelqu'un.

Je reconnus le Turc souriant qui avait sympathisé avec moi

au commissariat, le soir de mon arrestation. Il m'offrit à nouveau du haschich ; afin de garder la tête froide pour la séance au tribunal, je déclinai son offre en tentant de ne pas le froisser. Il haussa les épaules, but une grande rasade de vodka et reprit son jeu.

L'influence de cet homme me laissait perplexe : je ne comprenais pas quel rôle il jouait.

Quelqu'un m'appela dans la salle d'attente. Deux soldats me passèrent les menottes et m'entraînèrent dans un dédale de passages souterrains puis dans un escalier étroit et obscur. Une fois en haut, ils défirent mes chaînes et m'enfermèrent seul dans une pièce minuscule, sans fenêtre et vide à l'exception d'un tuyau de chauffage. Les murs, couverts de graffiti, me firent penser au métro de New York. Je pris mon stylo et écrivis dans un petit coin encore disponible : « William Hayes, New York, 11/11/70. »

Je fus alors appelé à comparaître dans le box des accusés. Je remarquai immédiatement une jolie fille installée dans le public. Cela faisait bien longtemps que je n'avais vu une femme. Celle-ci avait un calepin jaune sur les genoux, et de très jolies jambes.

Beyaz et Siya prirent place en face de moi ; le procureur était bien assis à la place signalée par Charles. J'avais peur de cet homme qui soutint mon regard derrière ses verres fumés, peur de sa conscience professionnelle.

Le juge entra solennellement et prit place sur l'estrade derrière la haute table. Sa longue robe noire était bordée d'une collerette rouge ; son visage fatigué, encadré de courts cheveux gris, me parut plein de bonté.

Un jeune homme était assis derrière une vieille machine à écrire en face de l'estrade. Pendant une vingtaine de minutes, différentes personnes se levèrent, firent en turc des déclarations immédiatement retranscrites à la machine puis allèrent se rasseoir. Beyaz et Siya furent très brefs, le consul américain aussi. Puis les trois juges se consultèrent et Yesil me fit signe de me lever.

— Les juges voudraient que vous leur racontiez votre histoire, me dit-il.

— Je suis étudiant à l'université de Marquette, dans le Milwaukee, aux États-Unis. J'étudie l'anglais et j'ai presque fini mes études. Je n'ai plus qu'à terminer ma thèse. Je voudrais être écrivain. Je fume du haschich depuis plusieurs années ; je pense que cela me stimule et m'aide à créer. J'ai voyagé en Europe pour le plaisir et je voulais rapporter du haschich aux États-Unis parce que cela coûte très cher dans mon pays et que je n'ai pas beaucoup d'argent. Je voulais en avoir suffisamment pour terminer ma thèse. On m'avait dit que le haschich était très bon marché à Istanbul. Je suis donc venu ici en train pour en acheter une petite quantité, un demi-kilo environ. J'ai fait la connaissance de quelques Turcs à cheveux longs à qui j'ai expliqué que je n'en voulais pas beaucoup. Ils m'ont emmené dans une pièce où était entreposée la plus grosse quantité de haschich que j'aie jamais vue et ils m'ont proposé deux kilos pour deux cents dollars, ce qui était très bon marché pour moi. Je les ai pris en pensant que cela me durerait très longtemps.

Le juge resta silencieux pendant quelques instants. Depuis des années, il entendait les mêmes histoires de haschich. La conversation se poursuivit par l'intermédiaire de Yesil.

— Vous remportiez ce haschich pour votre usage personnel ? me demanda-t-il.

— Oui.

— Vous n'aviez pas l'intention d'en vendre une partie ?

— Absolument pas, mentis-je.

— Pensiez-vous en donner à vos amis ?

Les avocats m'avaient prévenu qu'il me poserait cette question.

— Je pense que le haschich est très fort et peut être dangereux pour certaines personnes. C'est une bonne chose pour moi car cela stimule ma créativité et cela m'aide à écrire, mais je suis conscient que cela peut être dangereux pour d'autres. Chacun doit décider pour lui-même. C'est pour cette raison que je n'en ai jamais donné à mes amis, par crainte de leur causer du tort.

— Mais deux kilos représentent une grosse quantité pour une seule personne.

— Je n'en voulais pas tant. Je désirais seulement acheter cinq cents grammes. Mais ils m'ont proposé cette quantité et j'ai eu la sottise d'accepter. Je pensais qu'ainsi, j'aurais des réserves.

— Mais vous n'aviez aucune intention d'en vendre ?

— Non. C'était pour ma consommation personnelle.

— Fumez-vous beaucoup ?

— Oui. Depuis plusieurs années.

Le juge s'arrêta pour consulter ses collègues puis il parla avec Beyaz. Tout à coup, il posa une question à·brûle-pourpoint. Lorsque Yesil me la traduisit, je fus pris de court.

— Quel est le sujet de votre thèse ? avait demandé le juge.

Personne n'avait prévu cette question et je ne faisais pas de thèse. Une réponse me vint rapidement à l'esprit :

— Les effets des drogues sur la littérature et la musique dans l'Amérique contemporaine.

Yesil me lança un regard surpris puis traduisit lentement. La salle resta silencieuse. Le juge réprima un sourire et agita lentement la tête. Il fixa une date pour le procès. En décembre.

**

Je n'avais plus qu'à prendre patience et à me replonger dans la routine grise de la prison. Charles, Popeye, Arne et Johann étaient tous passés par là : le choc de l'arrestation, l'espoir fou d'une libération rapide puis l'installation dans la réalité carcérale. Chacun à sa façon m'aida à m'habituer à la vie dans le *kogus*.

Charles travaillait comme un fou et s'astreignait à un horaire très strict. Toute la nuit, enfermé dans sa cellule, il écrivait ses nouvelles et ses poèmes. Il tenta de me convaincre de la nécessité de se plier à un emploi du temps, d'avoir un programme précis pour chaque jour ; c'était, selon lui, la seule façon de donner au temps une valeur positive.

— Ici, on peut perdre tout contact avec la réalité, me dit-il, complètement, et pendant des semaines ou des mois. Certains s'égarent tellement ici qu'ils n'en sortent plus jamais.

Je pensai à Max mais aussi à Charles, qui parlait peut-être de lui-même sans le savoir.

— Ça fait vraiment froid dans le dos, ajouta-t-il.

J'approuvai d'un signe de tête.

Popeye était un éternel pessimiste. Il ne cessait de me répéter que je ne devais pas m'attendre à quitter Sagmalcilar de sitôt. J'étais convaincu qu'il se trompait, mais ses propos équilibraient mon optimisme. Il dissimulait son désespoir sous des allures de joyeux luron, et son rire et ses sifflements troublaient constamment la paix du *kogus*. Comme il l'avait prévu, je finis par l'apprécier et à m'attacher à lui ; son bavardage incessant aidait à tuer le temps.

Ce fut Arne qui m'apprit le plus. Il n'était vraiment pas un prisonnier comme les autres. Nous étions entourés d'espions et d'informateurs toujours prêts à prendre l'avantage sur les autres en monnayant des informations, ce qui rendait tout le monde suspect aux yeux de tout le monde. La confiance ne s'accordait pas facilement ici et, non contents d'être physiquement enfermés, nous finissions tous par censurer nos émotions. Arne avait compris la nécessité de préserver ses sentiments, mais aussi de les exprimer. Au cours des longues soirées que nous passâmes ensemble dans sa cellule, il me mit en garde contre l'isolement affectif et me dit que, si je n'y veillais pas, j'aurais de graves difficultés à établir des relations avec les autres, à la fois dans la prison et à l'extérieur.

Quant à Johann, il était le seul à n'avoir fait aucun effort pour s'habituer à la vie de reclus. Dès son incarcération, il n'avait pensé qu'à s'évader mais il était un impulsif et tout projet de longue haleine lui était difficile. Il semblait ne jamais tenter de réaliser ses rêves d'évasion. De toute façon, il lui restait si peu de temps à purger qu'il n'était plus raisonnable de chercher à s'évader.

— Tu dois faire quelque chose, Willie, me dit-il. Ne fais pas confiance à la justice et aux avocats turcs. Ne fais même pas confiance à tes amis : ne compte que sur toi-même.

A partir de tous les conseils qui me furent prodigués, je mis au point ma propre routine. Tous les matins, rituellement, je me levais à cinq heures trente et je travaillais les positions de yoga que j'avais apprises depuis deux ans. Allongé sur le ventre, j'arquais le dos et soulevais les pieds au-dessus du sol ; je restais ainsi pendant plusieurs minutes. Puis je me détendais en respirant profondément. Ensuite, je m'asseyais par terre et levais lentement une jambe vers ma tête jusqu'à la placer derrière mon cou. La discipline du yoga tenait mon corps et mon esprit en éveil.

Dès que l'on ouvrait les cellules et la porte de la cour, je me précipitais dans l'air frais du matin. J'étais en général dehors suffisamment tôt pour admirer le lever du soleil au-dessus de l'horizon artificiel que formait l'épais mur de pierre. Je m'asseyais contre le mur pour méditer ou dessiner. Parfois je contemplais les ombres sur le sol ou j'observais les pigeons. Lorsque le vent soufflait, je pouvais sentir l'air de la mer et, en tendant l'oreille, j'avais même l'impression d'entendre le bruit des vagues. Après le petit déjeuner, je faisais mon courrier, jouais aux échecs ou lisais. L'après-midi, j'allais, avec de nombreux autres prisonniers, jouer au football ou au volley dans la cour. Je passais les soirées à bavarder avec mes amis ou bien je restais seul, perdu dans mes pensées. Le soir, après la fermeture des cellules, je me mis à sculpter des pièces d'échecs dans du savon à l'aide d'une lime à ongles. Mais même au moment où j'eus l'impression de m'habituer à cette vie, je veillai à ne pas oublier les propos de Johann. J'avais toujours les yeux et les oreilles ouverts.

***

Un soir, Arne et moi étions assis dans la cellule de Charles à l'étage supérieur du *kogus*. Arne jouait de la guitare, Charles du bongo : nous nous détendions dans l'obscurité quasi totale puisque la cellule n'était éclairée que par une bougie qu'Arne avait posée sur la table de bois.

— Cela est fréquent, expliqua-t-il. *Turk-mali*.

— Qu'est-ce que cela veut dire ? demandai-je.

— Fait en Turquie. C'est notre petite plaisanterie. Rien ne semble marcher ici. L'électricité turque n'est pas très fiable ; apporte des bougies la prochaine fois que tu viens.

— On vend des bougies ici ?

— Oui, dans le chariot qui passe de temps en temps. A mon avis, ils coupent l'électricité pour nous forcer à en acheter.

— Combien de temps durent les coupures ? m'enquis-je.

Cela pouvait être une bonne occasion de s'évader.

Charles avait sans doute deviné la raison de ma question. Il répondit sans arrêter de jouer du bongo :

— Pas assez longtemps.

— Pas assez lontemps pour quoi ? demandai-je innocemment.

— Pour n'importe quoi. Les coupures peuvent durer vingt minutes ou vingt secondes : on ne sait jamais à l'avance. Et il paraît que les patrouilles autour des murs de la prison sont doublées dès que les lumières s'éteignent.

— Tant pis. C'est tout de même agréable d'être dans l'obscurité de temps en temps.

— Alors tais-toi.

— D'accord !

Les prisonniers avaient toujours tendance à baisser le volume de leurs transistors lorsqu'ils étaient dans l'obscurité. Arne reprit paisiblement sa guitare ; je contemplais les ombres de la

70

bougie sur le mur, rassasié, au chaud, heureux d'être avec mes amis. J'avais oublié les barreaux, le tribunal, l'épée de Damoclès suspendue au-dessus de ma tête. C'était un moment doux à partager.

Dix minutes plus tard, les lumières furent rétablies, réveillant ainsi tous les bruits habituels du *kogus* : les transistors qui hurlaient, les disputes de prisonniers, les cris d'enfants dans la cour. Malgré nos efforts pour prolonger le plaisir de ce moment de sérénité, la magie avait disparu. Nous étions à nouveau en prison.

Tout à coup un grand bruit retentit dans le *kogus* des enfants, qui nous attira tous dans le couloir. Des fenêtres de l'étage supérieur on pouvait voir le *kogus* des enfants. C'était le même que le nôtre mais il n'était pas divisé en cellules ; c'était simplement deux grandes pièces rectangulaires superposées, comme dans les casernes.

Les enfants descendaient l'escalier, bousculés par plusieurs gardiens excités ; ils se mirent rapidement en rang, et aucun n'accepta de se placer près de la porte.

C'est alors que j'aperçus Mamur la Belette qui les dévisageait dans un silence glacial, escorté d'Arief le Briseur d'Os et de Hamid l'Ours. Les cris et l'agitation prirent fin brutalement en bas des marches dès que Mamur fut repéré par les enfants.

Un enfant exceptionnellement jeune tenait la main de Mamur.

— Qui est-ce ? demandai-je.

— C'est son fils, me dit Arne. Il traîne souvent dans la prison.

Le petit garçon, qui n'avait pas l'air d'avoir plus de cinq ans, semblait terrorisé par l'impression que faisait son père sur les autres enfants. Mamur resta immobile jusqu'à ce que tous les enfants sortent de leurs cachettes et se rangent devant lui en silence. Les gardiens se turent également. Mamur confia son fils à Hamid, qui le prit par la main, puis il s'avança lentement devant les enfants, qu'il regarda de la tête aux pieds avant de hurler un mot qui brisa le silence.

— *PIS !* hurla-t-il — cela veut dire « sale », « obscène ».

Tous les enfants tremblèrent.

Mamur agita les bras et passa devant chacun d'entre eux en hurlant. Il semblait en interroger certains en les giflant. Un enfant en larmes en désigna quelques autres : Mamur en choisit cinq, qu'il tira par les cheveux hors du rang pour les jeter aux gardiens. Il donna violemment un ordre ; les autres enfants se précipitèrent à l'autre bout du *kogus*.

Les gardiens jetèrent leurs victimes par terre ; certains saisirent un long banc de bois avec des pieds métalliques. Les enfants se bousculèrent en hurlant et furent immédiatement giflés et coincés au sol sous le banc, les jambes en l'air ; un gardien s'assit à chaque extrémité.

Les occupants du *kogus* des étrangers étaient tous aux fenêtres. Les nouvelles ne tardèrent pas à arriver. Ce fut Ziat, le prisonnier chargé de la vente du thé, qui les colporta :

— Ils ont violé l'un des enfants récemment arrivés pendant la coupure d'électricité.

Mamur retira sa veste et la tendit à un gardien, puis remonta ses manches et desserra sa cravate. Certains enfants gémissaient mais la plupart étaient silencieux. Mamur saisit un bâton et frappa au hasard deux pieds qui s'agitaient.

Cela réveilla le souvenir de ma propre souffrance.

Les cris des enfants firent redoubler les coups. Les gardiens assis sur le banc écartèrent leurs jambes pour garder l'équilibre, d'autres s'appuyèrent aux deux extrémités. Les enfants essayaient de se débattre en pleurant pour échapper à la rage de Mamur, mais celui-ci continuait à les frapper sur les pieds, les fesses, les jambes, en s'arrêtant de temps en temps pour hurler quelque chose aux autres enfants qui étaient serrés les uns contre les autres au fond de la pièce. Mamur arpenta le rang frénétiquement, sautant sur l'une de ses victimes qui avait réussi à s'échapper ; l'enfant recula et tomba sur le sol ; il reçut plusieurs coups sur les mains et les jambes.

La Belette cessa enfin, jetant son bâton en faisant signe aux gardiens qui vinrent enlever le banc ; les enfants restèrent par terre à sangloter. Mamur les regarda en reprenant son souffle. Un gardien lui tendit sa veste, qu'il enfila avant d'aller reprendre son fils qui s'était caché derrière Hamid. Le directeur adjoint de la prison Sagmalcilar saisit son fils par la main et sortit sans mot dire du *kogus*.

CHAPITRE 7

Il y a en turc une expression courante : *Sula bula* (prononcer « sheula beula ») qui signifie « comme ci, comme ça ».

Tout à Sagmalcilar était *sula bula* pour ses trois mille pensionnaires. Ce n'était pas si bien que ça, mais pas si mal non plus, et on suivait toutes sortes de règles sans les suivre vraiment. Certains quartiers de la maison d'arrêt étaient constamment surveillés par des gardiens tandis que, dans d'autres, on pouvait déambuler librement. Le jeu était interdit, mais les dés étaient la distraction préférée des Turcs, et la plupart des étrangers jouaient au poker. La législation interne interdisait les drogues, mais les prisonniers pouvaient acheter du haschich, de l'opium, du LSD, de la morphine et des pilules de toutes formes et de toutes sortes. L'homosexualité, qui était un délit au regard de la loi et de la morale, était omniprésente ; les gardiens eux-mêmes semblaient prendre un certain plaisir à battre des hommes nus. La circulation de l'argent n'était pas autorisée et était remplacée par un système de bons et pourtant la plupart des prisonniers qui purgeaient de longues peines possédaient des fonds secrets. Selon l'humeur des autorités et selon les moments, l'endroit pouvait être supportable ou se transformer en enfer.

De la même façon qu'il y avait une hiérarchie dans l'administration carcérale, qui était dirigée par Mamur, Arief et Hamid, il y avait aussi une hiérarchie parmi les prisonniers. Au sommet régnaient les gangsters, les mafiosi turcs en quelque sorte, que l'on appelait des *kapidiye*. Ces criminels étaient respectés et craints à l'intérieur de la prison tout autant qu'à l'extérieur, et la peine qu'ils purgeaient n'était qu'un petit ennui de parcours pour ces hommes riches. Quel que soit le délit, il suffisait d'un peu d'argent, d'un nouveau tribunal ou d'un nouveau juge, de nouveaux papiers, d'autres rapports de police, de nouvelles pièces au dossier médical, et ils étaient libres. Ils ne passaient jamais plus d'un an, dix-huit mois au maximum, derrière les barreaux.

En prison, ils vivaient comme des rois et n'auraient, pour rien au monde, voulu s'évader et franchir la frontière car, hors de la Turquie, ils n'étaient rien. Ils passaient donc leur temps à organiser le trafic interne : le jeu, le trafic de drogue et la contrebande. Ils prenaient parfois de gros risques mais gagnaient ainsi des sommes énormes. La violence était de règle entre ces différents groupes d'influence.

Juste sous les *kapidiye*, il y avait un groupe de gangsters de moins haut niveau, le tout-venant de la pègre qui avait encore une réputation à se faire. Les tueurs étaient très respectés puisqu'en Turquie le meurtre est considéré comme un acte très viril.

Les vulgaires cambrioleurs et pickpockets se trouvaient tout en bas de la structure sociale, un cran au-dessus néanmoins des étrangers, ces non-musulmans fumeurs de haschich.

Je dus faire un effort pour m'habituer à cette vie ; mes séances de yoga du matin et du soir m'étaient d'un grand secours, ainsi que cette sorte de méditation à laquelle je me livrais tous les matins, assis sur mon lit dans l'obscurité à écouter les bruits de la prison qui s'éveillait.

Cette tranquillité qui précédait le lever du jour était propice à la méditation. J'entendais les battements d'ailes des pigeons au-dessus du toit du *kogus*. Parfois, la sirène lugubre d'un bateau dans le port me faisait rêver de la mer ; je me voyais accoster sur les îles grecques, quittant ainsi en pensée mon univers carcéral. Mais dès que les autres prisonniers s'éveillaient, ce bien-être s'évanouissait et je devais faire un effort pour me contrôler, pour ne pas être contaminé par la nervosité ambiante du *kogus* qui était une sorte de poudrière émotionnelle où les bagarres étaient fréquentes.

Le repas, qui constituait l'un des rares moments de sensualité en prison, n'était jamais pris à la légère ; la petite cuisine était le lieu de bien des disputes. Les autorités carcérales y avaient placé une cuisinière à gaz où nous faisions chauffer du thé et du café et où nous préparions de la nourriture lorsque nous en avions. L'engin était sous la responsabilité du *tchaï-gee*, mot à mot le faiseur de thé, qui était chargé d'acheter le thé, le café et le sucre aux autorités au prix fort pour nous les revendre ensuite. Cela constituait un marché important car nous buvions des quantités considérables de thé et de café puisqu'il y avait très peu d'eau et qu'elle n'était de toute façon pas très bonne.

Le *tchaï-gee* vendait un verre de thé pour quelques centimes. Il travaillait douze à quatorze heures par jour pendant un mois, ce qui était beaucoup mais lui permettait de gagner des sommes coquettes, d'autant que, le plus souvent, le breuvage qu'il nous vendait contenait plus de bicarbonate que de thé.

C'était un prisonnier nommé Ziat qui était chargé de cette fonction au moment de mon arrivée à la prison. Johann m'expliqua qu'une rotation était prévue, mais Ziat était toujours à ce poste en décembre. C'était un Jordanien petit et costaud à la peau très basanée, aux dents jaunes. Je le détestai au premier coup d'œil. Johann me dit qu'il n'aimait rien au monde autant que l'argent et qu'il y avait de constantes réclamations quant à la qualité du breuvage qu'il nous servait.

Le thé était prêt lorsque le gardien ouvrait la grille menant à la cour pour laisser entrer le prisonnier iranien qui apportait le pain. Tous les prisonniers se levaient alors et allaient à la cuisine avec un morceau de poivron, un oignon ou un œuf. Une queue se formait immédiatement, dans la bousculade. Ziat ne cédait pas facilement l'un des brûleurs ; il en utilisait deux pour le thé et réservait le troisième à la cuisine. Certains prisonniers monopolisaient le brûleur pendant très longtemps, pour faire cuire des pommes de terre par exemple, puis Ziat l'attribuait indûment à l'un de ses amis et cela marquait le début d'une bagarre. Les prisonniers transformaient alors, dans une multitude de langues, la cuisine en champ de bataille. Des verres volaient. Certains sortaient même leur couteau. Les gardiens arrivaient pour mettre de l'ordre.

Johann m'apprit que Ziat avait été indicateur de police, qu'il parlait turc, allemand et anglais presque aussi bien que l'arabe qui était sa langue maternelle. Il abordait les touristes au *Pudding Shoppe*, ou dans le quartier de Sultan Ahmet, pour leur proposer de la drogue, prenait rendez-vous avec eux puis allait alerter la police. Dès que l'étranger était en possession du haschich, Ziat partait et les flics arrivaient : il se faisait payer en nature ou en espèces.

Mais, d'après Johann, Ziat était devenu de plus en plus gourmand et avait un jour gardé pour lui dix-sept kilos d'opium à la suite d'un marché conclu avec un *kapidiye* turc. Il écopa d'une peine de cinq ans de prison.

Plusieurs prisonniers devaient leur passage à Sagmalcilar à la trahison de Ziat, qui avait même été poignardé par l'un d'entre eux quinze ans plus tôt.

Son amour de l'argent s'exprima rapidement en prison. En tant qu'indicateur, il avait de nombreuses relations influentes. Au moment de mon arrivée, il était le principal fournisseur de drogue du *kogus* des étrangers. Il était d'autre part très ami avec Arief et Mamur, qui le prévenaient des fouilles et des contrôles prévus. Il s'arrangeait toujours pour dissimuler ses réserves de drogue et personne ne put jamais trouver l'argent accumulé.

La quantité d'argent en circulation dans la prison ne cessa jamais de m'étonner. Au début, je retirai des bons de mon compte pour m'acheter de la nourriture. Mais très vite, je découvris le monde du jeu. Bien que le poker fût interdit, nous passions des heures à jouer en l'absence des gardiens. Même les matches de football ou de volley-ball se jouaient souvent pour de l'argent. Je finis par transporter, comme les autres, des économies dans mon slip, que les gardiens ne fouillaient jamais — peut-être était-ce interdit par le règlement.

Je me mis à fumer de plus en plus de haschich, que j'obtenais très facilement de Ziat. Je planais au-dessus de la réalité et je vivais dans une sorte de brume qui m'aidait à attendre. C'était dans une conduite d'eau rouillée et cassée de ma cellule, près des toilettes, que je dissimulais mes réserves : les gardiens en effet considéraient cet endroit comme « malpropre » et en faisaient ainsi la meilleure cachette puisqu'ils ne passaient jamais les doigts derrière. Je devenais un truand.

Chacun attendait quelque chose en prison : l'ouverture de la cellule, l'arrivée du pain, le repas de midi, l'eau pour utiliser les toilettes ou pour se laver, les visites, le passage devant le tribunal.

Tous attendaient la liberté.

Et chaque jour se renouvelait l'attente du courrier qui arrivait en général en fin d'après-midi. Dès que l'on entendait le cri de *Mektup*, une vingtaine de prisonniers dévalaient l'escalier. Un gardien enfonçait les lettres et les paquets dans le petit orifice de la grande porte métallique du couloir. L'un d'entre nous lisait les noms sur les enveloppes et appelait les prisonniers dans le brouhaha général. Le courrier marchait aussi mal que le reste dans ce pays ; de nombreuses lettres n'arrivaient pas, ou arrivaient avec des semaines de retard, ou encore sans timbre.

Ma correspondance prenait de plus en plus d'importance. Je passais parfois toute une journée à supputer mes chances de recevoir une lettre de n'importe qui ; si rien n'arrivait, ma déception était amère. Je me sentais isolé, oublié, enfermé dans un pays dont la culture m'était totalement étrangère. Des jours et des jours se passaient parfois sans que je reçoive une lettre et je restais debout près de la porte, tout seul, longtemps après la distribution du courrier.

Mais, certains jours, plusieurs lettres arrivaient d'un coup et je me jetais sur elles. Mon père m'écrivait régulièrement ; ma mère ajoutait parfois une ligne ou deux pour me dire son affection. Elle n'avait jamais été très démonstrative, mais son soutien était réel. Rob et Peggy, mon frère et ma sœur, m'écrivaient aussi pour me parler de leurs études, de leurs amis, de ce qu'ils faisaient. Toutes les lettres abondaient en détails de la vie quotidienne à la maison. Je souffrais de voir que la vie continuait sans moi à Long Island mais je sentais entre les lignes une angoisse profonde à mon sujet.

Je reçus d'autres lettres, de mes amis de Marquette. Puis un jour, enfin, j'en reçus une de Patrick. Il avait travaillé sur un thonier au large des côtes de l'Oregon pendant les mois précédents et avait passé ses journées à pêcher et ses nuits à écrire des poèmes. Il venait tout juste d'apprendre ce qui m'était arrivé. Il voulait connaître tous les détails de mon affaire puis enchaînait en me demandant si j'avais lu récemment *Le Comte de Monte-Cristo*. Typique de Patrick de fanfaronner ainsi, mais je savais que je pouvais compter sur lui.

Un jour, j'eus la surprise de recevoir une enveloppe à mon nom tracé d'une écriture soignée et élégante qui me fit tressaillir. J'avais grandi avec Lillian Reed et elle avait été ma petite amie depuis le grand bal de notre lycée. Elle portait ce soir-là une robe de velours rouge que je n'avais jamais oubliée. Mon père nous avait accompagnés au bal. Nous avions été amoureux avec des hauts et des bas pendant des années puis nous nous étions éloignés l'un de l'autre, mais cette époque me revint à l'esprit tandis que je regardais cette enveloppe. Nous avions tous deux rêvé de parcourir le monde, mais Lillian s'était mariée avec quelqu'un qui ne lui convenait pas ; elle avait divorcé au bout d'un an. Elle travaillait maintenant comme secrétaire juridique à Harvard.

Lillian avait su trouver des mots qui m'allèrent droit au cœur, et je relus plusieurs fois cette lettre avant de lui écrire une longue réponse pleine d'émotion ce soir-là. Je l'encourageai à reconstruire sa vie et à en profiter pleinement, étonné de voir, pour elle autant que pour moi, à quel point on pouvait gâcher sa vie. J'espérais que, peut-être, nous pourrions nous être utiles l'un à l'autre.

***

Mon procès était prévu pour le 19 décembre et j'en attendais un jugement définitif. Je souhaitais obtenir soit une mise en liberté sous caution, soit une peine, mais je voulais être fixé. Certains prisonniers disaient que le gouvernement prévoyait de réduire toutes les peines de dix ans : si donc je devais purger une peine de dix ans, je serais libre immédiatement.

Je fis une dernière répétition la veille du procès. Mes amis me reprêtèrent des vêtements pour que je fasse bonne impression. J'espérais que, si tout se passait bien, je pourrais passer Noël à la maison.

Le matin du procès, les soldats me conduisirent au tribunal ; j'étais beaucoup plus nerveux que la première fois. En effet la vie derrière les barreaux m'était devenue de plus en plus pénible et ce jour était le plus important de ma vie. Je regrettais amèrement de ne pouvoir en suivre tous les détails dans ma langue maternelle.

Je reconnus mes avocats dans leur boxe. Beya et Siya m'adressèrent un sourire poli auquel je répondis. Je reconnus également d'autres visages : le consul et quelques spectateurs, dont la fille aux belles jambes qui était toujours là avec son calepin jaune.

Une conversation en turc eut lieu entre mes avocats et le juge. J'étais assis tranquillement, prêt pour une longue session.

Le procureur se leva pour faire un discours passionné devant la cour. Soudain, avant que je ne comprenne ce qui se passait, les soldats me repassèrent les menottes et commencèrent à m'entraîner vers la sortie.

— Qu'y a-t-il ? criai-je à Yesil. Pourquoi m'attache-t-on ? Pourquoi m'emmène-t-on déjà ?

— Ce n'est pas important, me répondit-il.

— Mais qu'est-ce que ça veut dire : « ce n'est pas important » ? Je veux une liberté sous caution. Je ne veux pas passer une nuit de plus ici.

— D'accord. D'accord. On en reparlera demain.

— Qu'a dit le procureur ? Que se passe-t-il ?

— Ce n'est pas grave. La procédure habituelle.

Les soldats me tirèrent par le bras.

— Mais expliquez-moi.

— Eh bien, il a présenté à la cour les délits dont il voulait vous voir accusé.

Si je n'avais pas été attaché, j'aurais saisi Yesil par le revers de sa veste. Mon sort se décidait en turc et Yesil refusait de traduire.

— Mais que voulait-il ? demandai-je à nouveau.

— Rien d'important. Nous en parlerons demain.

— Yesil, hurlai-je tandis que les soldats m'entraînaient à l'extérieur. Expliquez-moi.

— Le procureur demande l'emprisonnement à perpétuité.

J'eus l'impression que ma tête allait exploser. Je regardai d'un air hagard défiler les lumières d'Istanbul derrière les barreaux du camion qui me ramenait à la prison.

Une fois de retour dans mon *kogus*, je donnai les nouvelles à Johann, qui tenta de me calmer en me disant que le procureur voulait toujours avoir l'air sévère mais que c'était une simple formalité. Charles et Arne furent réconfortants ; seul Popeye me lança un regard qui voulait dire : « Je te l'avais bien dit. » J'avais besoin de savoir quelles étaient mes chances exactes de voir la cour prendre au sérieux la proposition du procureur.

— Pourquoi ne demandes-tu pas à Max ? me suggéra Johann. Il sait probablement mieux que personne.

Nous allâmes ensemble voir notre ami hollandais, que nous trouvâmes assis sur son lit en train de se gratter les bras.

— Je suis en panne de Gastro. Il me faut du shit, nous dit-il.

Max sortit sous nos yeux un long bâton de dessous son lit. Puis il sortit en trébuchant dans le couloir et, après avoir vérifié qu'il n'y avait personne, tapa avec son bâton sur l'ampoule. Il eut du mal à la toucher mais finit par y arriver : l'ampoule éclata et Max alla immédiatement appeler Walter pour le prévenir qu'il fallait demander à Emin d'envoyer l'électricien.

Il revint alors dans sa cellule et recommença à se gratter les bras.

Je lui appris ce qui s'était passé pour moi.

— Qui sait ? me dit-il en hochant la tête. Je ne pense pas qu'ils te donneront la perpétuité mais je ne pensais pas non plus qu'ils me donneraient trente ans. Moi, je te dis que tu ferais mieux de te tirer de là comme tu peux.

— Tu veux parler de Bakirkoy ?

— Aaaah, dit Max avec une grimace. J'y ai passé quelque temps, dans la section 12, celle des drogués. C'est très dur. Il faut avoir des amis. Tu connais un *kapidiye* ?

— Quoi ?

— Un *kapidiye*. Si tu en connais un, tu peux acheter un gardien à Bakirkoy. C'est facile de s'évader, mais il te faut des vêtements et de l'argent pour arriver en Grèce.

Je parlai à Max du Turc qui avait sympathisé avec moi au commissariat ; il m'assura que c'était un *kapidiye*.

— Ils ont beaucoup d'amis, m'expliqua-t-il, dedans comme dehors. Et ils ont beaucoup d'argent. Les gardiens sont très pauvres et faciles à acheter, mais ils peuvent aussi te donner. C'est pour ça qu'il faut connaître un *kapidiye*. En cas de trahison, il plantera un couteau dans le ventre du gardien.

L'électricien arriva avec son échelle pour remplacer l'ampoule. Max s'approcha pour lui murmurer quelque chose et lui donna un billet. L'électricien lui passa avec naturel un flacon de liquide brun.

— C'est l'heure de mon médicament, dit Max.

La conversation cessa complètement pendant qu'il se faisait sa piqûre. Les yeux fermés, il s'appuya contre le mur. Johann et moi nous le regardâmes longuement en nous demandant s'il était conscient, ou même vivant. Mais il se remit soudain à parler comme s'il était engagé dans une discussion passionnée.

— Non, n'essaie pas de traverser à Edirne.

Il ouvrit les yeux, se pencha vers moi et tomba du banc. Puis il reprit à voix basse :

— Il y a cette bande de terre au sud d'Edirne. Si tu arrives à mettre la main sur une carte de Turquie, étudie-la. Il y a une vieille voie ferrée qui va d'Edirne à Uzun Kopru. Sur deux kilomètres elle passe en Grèce puis repasse en Turquie. Le train ne s'y arrête pas mais tu pourrais sauter en Grèce. Souviens-t'en.

80

Je le laissai planer en me demandant s'il faudrait vraiment en arriver là.

Yesil me rendit visite le lendemain et m'assura qu'il n'y avait pas de quoi s'inquiéter. Le procureur était « un salaud », me dit-il dans un anglais, qui, pour une fois, avait perdu son élégance habituelle, et le juge ne me donnerait probablement pas plus de vingt mois. Peut-être même m'accorderait-il la liberté sous caution. Nous le saurions bientôt.

Je compris donc que j'avais toutes les chances de passer les fêtes de fin d'année dans ces lieux sordides. Puis j'eus une idée qui pouvait me permettre de passer en quelque sorte le Nouvel An à Cambridge. J'écrivis à Lillian de penser à moi le 31 décembre à trois heures de l'après-midi, onze heures du soir à Istanbul. Je m'assiérais moi aussi sur mon banc pour méditer et nous pourrions ainsi tous deux brancher nos pensées sur la même fréquence et me permettre de passer cette soirée de fête en Amérique. Je savais qu'elle recevrait la lettre à temps mais que je n'aurais pas de réponse avant la date : il ne me restait donc plus qu'à espérer qu'elle accepterait mon plan et que cela marcherait.

Tout le *kogus* prit un air de fête. Les Turcs ne célébraient pas Noël, mais le Nouvel An était important pour eux ; ils furent joyeux et détendus toute la semaine. Ils nous permirent d'acheter de la confiture, des gelées de fruits et même de la farine. Arne, qui ne cessait pas de me surprendre, fit des gâteaux de Noël, et nous fûmes plusieurs à nous réunir dans sa chambre le soir de la fête. Arne alluma des bougies et joua de la guitare. Johann plaisanta bruyamment : il ne lui restait plus que six semaines derrière les barreaux. Il fit passer un haschich très fort qu'il avait acheté à Ziat. Arne apporta les tartes à minuit : la boule qui me serrait la gorge ne m'empêcha pas d'apprécier leur bon goût.

<center> * *</center>*

Le soir du Nouvel An, à 23 h 30, il y eut une autre fête. Emin ne ferma même pas les cellules et tous les prisonniers célébrèrent la nouvelle année avec force haschich.

J'abandonnai mes amis pour regagner ma cellule et me déshabillai complètement pour le cas où mon corps rejoindrait Lillian avec mon esprit. Assis en tailleur, je fermai les yeux : mes pensées se dirigèrent immédiatement vers Lily. Je revis ses

81

longs cheveux châtains, ses yeux marron, ses jambes fines. J'avais l'impression de la caresser et sentis mon sexe gonfler. Cela faisait bien longtemps que je n'avais touché une femme. Et pourtant je ne pus me masturber : cela m'ennuyait. Arne avait raison, le pire danger de l'incarcération était que l'on apprenait à contrôler ses émotions. J'avais envie d'avoir une femme à mes côtés et, à dix mille kilomètres, je tentai d'entrer en communication avec Lillian.

Je sentis tout à coup que je n'étais pas seul. Étais-je avec Lillian ? Où étais-je ? Je croisai le regard sobre d'Arief. Je clignai des yeux pour m'assurer que je ne me trompais pas ; non, c'était bien Arief qui me fixait de son regard dur à travers les barreaux. Il recula dans le couloir et s'éloigna d'un pas que l'alcool rendait hésitant.

Une agitation bruyante éclata dans le *kogus*. De nombreux gardiens accoururent et poussèrent les prisonniers dans leurs cellules pour un « contrôle », une fouille. L'insupportable voix de Hamid résonna dans le couloir ; il entra dans ma cellule, l'air, lui aussi, complètement soûl. D'un bond, je me jetai contre le mur en m'enveloppant dans ma couverture. Son regard se porta sur les pièces d'échiquier que j'étais en train de sculpter dans du savon. D'un geste brutal, il les jeta par terre et les écrasa avec ses pieds.

Puis il ouvrit la porte de mon casier et saisit quelques livres, qu'il mit en pièces. Il prit mes vêtements, en déchira les poches, en arracha les boutons. J'étais inquiet pour le morceau de haschich que j'avais dissimulé derrière la plomberie, mais Hamid ne pensa pas à fouiller là.

Il se retourna et me gifla. Le contrôle se termina alors comme il avait commencé. Les gardiens sortirent précipitamment. Emin ferma les cellules à clé. Tout redevint calme.

Bonne année, Lily. Bienvenue en 1971.

**

*

Quelques jours après le réveillon, un nouveau prisonnier arriva dans le *kogus*. C'était un Allemand qui s'appelait Wilhelm Weber. Il consacra ses premiers jours à se vanter de ses exploits, de cellule en cellule.

— Je fais de la compétition automobile sur le circuit de Monaco, dit-il à Popeye. Je plonge des falaises d'Acapulco.

— Oh, mon pote, lui répondit Popeye, ce n'est pas la peine de me le dire, je devine tous tes exploits. Les gars ! Ce type est vraiment un crack !

Au bout de quelques jours, personne dans le *kogus* ne pouvait plus supporter Weber ni parler avec lui. Soudain il arrêta de se vanter, s'installa dans sa cellule et écrivit des lettres.

Personne ne semblait se soucier de lui. J'étais le seul à voir que Weber complotait quelque chose. Il avait intentionnellement indisposé tous les prisonniers contre lui et il voulait maintenant qu'on le laisse tranquille. Je demandai à mes amis ce que Weber leur avait raconté : comme je le pensais, il n'avait rien raconté de personnel. Weber n'avait même pas dit pourquoi il avait été arrêté. Il s'était contenté de vantardises sans intérêt.

— C'est un fou, me dit Popeye.

Une conviction que je ne partageais pas.

**

Je n'avais jamais su jusque-là ce qu'était le froid.

Les murs de pierre de ma cellule étaient glacials et les barreaux de fer laissaient passer le froid. Quelques radiateurs furent placés ici et là sous les fenêtres, sans grand effet ; parfois même, ils ne marchaient pas du tout. Lorsque je me réveillais le matin, mon haleine embuait la pièce ; les couvertures de la prison ne réchauffaient pas du tout. Je pris l'habitude de porter de longs sous-vêtements et des chaussettes pour me mettre au lit, sans grand effet non plus. Cela me faisait transpirer et j'avais encore plus froid. Je finissais en général par m'endormir dans une position fœtale, complètement enroulé dans le cocon que je me fabriquais avec mon drap et ma couverture.

Chaque matin le réveil était plus déprimant que la veille. J'avais l'impression de ne jamais me réchauffer, même lorsque le faible soleil d'hiver brillait dans le ciel, d'avoir froid aux pieds et aux mains toute la journée, même lorsque je m'agitais. Et l'idée de la longue nuit glaciale qu'il me faudrait encore affronter me paralysait d'avance.

Patrick m'envoya *Une journée de la vie d'Ivan Denissovitch*. Je découvris qu'il faisait plus froid encore en Sibérie, et compatis avec Ivan.

Le meilleur moment de la semaine était le soir où je pouvais prendre un bain chaud. Chaque groupe de prisonniers avait un soir différent. J'étais dans le même groupe qu'Arne, qui l'avait demandé à Emin. Nous nous retrouvions à six ou sept dans la cuisine après l'appel et attendions que l'eau chaude coule du robinet.

Nous ne savions jamais combien de temps elle coulerait. Certains soirs, nous pouvions à peine remplir l'évier ; parfois, nous n'avions pas d'eau chaude du tout. Mais un soir, elle coula à volonté : la pièce s'embua et un brouillard chaud nous enveloppa. Cela dissipa toutes les douleurs et les tensions de la journée. Je me versai plusieurs brocs d'eau chaude sur la tête en en savourant la tiédeur bienfaisante.

Arne et moi restâmes dans la cuisine longtemps après le départ des autres prisonniers de notre groupe. C'était un peu comme un sauna. Arne me frotta le dos avec un gant de crin que ses parents lui avaient envoyé de Suède.

— Arne, tu es vraiment très maigre, lui dis-je en lui frottant le dos à mon tour. As-tu toujours été ainsi ou bien est-ce à cause de la cuisine turque ?

— Non, j'ai toujours été plutôt maigrichon. Je faisais beaucoup de course, du cross-country aussi.

Ses jambes filiformes en étaient la preuve.

— Moi aussi, je courais beaucoup. Sur la plage à New York.

— J'aurais cru que tu faisais de la natation, me dit Arne.

— J'en ai fait aussi. J'étais maître-nageur-sauveteur, et je faisais du surf. J'adore la mer.

— Tu as toujours l'évier pour te consoler !

Dans la vapeur ambiante, j'aperçus plusieurs prisonniers qui traînaient près de la porte pour nous regarder.

— Oui, l'évier et les Arabes.

Arne jeta un coup d'œil indifférent.

— Ils se donnent des sensations en regardant les types se laver en petite tenue. On devrait les faire payer.

— Bon, ça suffit pour ce soir, dit Arne.

— D'accord. Je suis trempé mais je me sens vraiment bien.

— C'est bien agréable de se faire frotter le dos et de se sentir propre de temps en temps. Mais je voudrais vraiment être tout nu au soleil sur une plage.

— On peut toujours rêver.

— C'est ce que je fais, répondit Arne.

**

Johann avait un sourire radieux. Après deux années ici, il avait finalement purgé sa peine. Il m'offrit son dessus de lit persan qui lui avait été cédé par un Iranien.

— Prends-en bien soin, Billy, me dit-il. Il y a un petit cadeau à l'intérieur. J'avais gardé ça pour le cas où ils ne me laisseraient pas sortir. Je t'écrirai, c'est promis. Si tu as besoin de quoi que ce soit, fais-moi signe. Si je le peux, je te dépannerai.

— Profite bien de ton voyage, lui dis-je. Et dis-moi où tu t'es fixé.

— Sûr.

Je regardai Johann s'éloigner dans le monde de la liberté. Son bonheur avait été communicatif. Mais tout à coup je ne pus m'empêcher de me dire que j'étais toujours derrière les barreaux. Je défis le couvre-lit pour l'examiner soigneusement. Une tresse épaisse en décorait le tour. Je sentis qu'elle était plus dure à un endroit et me tournai contre le mur pour ne pas être vu. Je défis soigneusement les cordons qui tenaient la tresse et découvris une lime à ongles. Comment Johann se l'était-il procurée ? Peu importait d'ailleurs.

Tard dans la nuit, je l'essayai contre le montant métallique de mon lit. Elle semblait être parfaitement tranchante et je décidai de la glisser à l'intérieur de la reliure de mon journal intime. C'était comme mettre de l'argent à la banque.

Dès le lendemain, je sombrai dans la dépression ; la cellule vide de Johann, à côté de la mienne, me rappelait sans cesse son départ. Je ne résistai pas à l'impulsion de demander à Emin si je pouvais déménager au second étage, dans la cellule vacante qui était située entre celle de Max et celle de Popeye. Emin accepta et, vingt minutes plus tard, j'avais changé de pièce. La gaieté de Popeye m'aida à passer la journée mais, la nuit, le cafard s'empara à nouveau de moi. Cela faisait six mois que j'étais en prison et je ne connaissais toujours pas la durée de ma peine. Le système judiciaire turc était terriblement lent et j'avais été fou de croire que je pourrais sortir rapidement. Je me dis qu'il faudrait reparler à Max de ce projet d'évasion, de cette frontière avec la Grèce. J'étais sûr d'une chose : je ne pourrais pas résister très longtemps dans cette prison. J'avais vingt-trois ans et le meilleur de ma vie était encore à venir. Les Turcs tuaient lentement tout espoir en moi.

Je finis par m'endormir pour être réveillé au milieu de la nuit par des bruits de voix étouffés venant de la cellule de Max. Je me demandai qui pouvait bien être là à cette heure de la nuit et rampai silencieusement jusqu'aux barreaux. Je tendis l'oreille et n'entendis qu'une voix : celle de Max, dont je voyais la silhouette se refléter dans la fenêtre du couloir. Il était debout devant son casier grand ouvert et parlait d'une voix tranquille, en riant.

— Max, chuchotai-je. A qui parles-tu ?

Il eut un sursaut de surprise.

— Euh... C'est bizarre... Mon amie est ici.

— Ah bon ?

— Ouais, dit-il en riant.

— Peux-tu parler un peu plus doucement ? Ton amie m'empêche de dormir, d'accord ?

— D'accord. Excuse-moi.

Il jeta un coup d'œil à l'intérieur de son casier en faisant « Chut ! ».

***

Pendant les deux jours qui suivirent, je ne cessai de penser à la relaxe de Johann. Arne se rendit compte que j'étais préoccupé. Je n'avais jamais parlé d'évasion avec lui et je savais bien qu'il ne prendrait jamais cette idée au sérieux ; il avait choisi de rester tranquillement dans sa cellule en attendant que les Turcs le libèrent. Charles était trop près de sa libération et je ne pouvais pas faire confiance à Popeye.

Il ne me restait donc plus que Max. Je lui reparlai de Bakirkoy, mais il parut sceptique. Il me dit néanmoins que, si le tribunal décidait de m'envoyer en observation à l'hôpital psychiatrique, je devrais surveiller toutes les occasions.

Je repassai devant le tribunal, bien décidé à obtenir un résultat concret cette fois. Le jour du procès, je fonçai sur Yesil :

— Il faut que vous demandiez ma mise en liberté sous caution aujourd'hui. Pensez-vous que j'aie des chances de l'obtenir ?

— *Sula bula*, me dit Yesil en turc. Je ne suis pas sûr que ce soit vraiment le moment de poser la question.

— Mais cela fait six mois que je suis en prison, et vous ne l'avez toujours pas posée. Dites à Beyaz et à Siya que je veux qu'ils posent cette question aujourd'hui.

— Peut-être vaudrait-il mieux que vous la posiez vous-même, dit Yesil après un instant de réflexion.

— Bien. C'est ce que je vais faire.

Le procès se passa à nouveau dans le brouhaha général ; le juge, les avocats puis le procureur prirent la parole, mais aucun ne me posa la moindre question. Je décidai donc d'interrompre le débat en levant la main. Le juge me jeta un regard surpris et lança quelques mots à Yesil.

— Que voulez-vous ? me demanda mon avocat.

— Vous savez bien ce que je veux.

— Bien. Adressez-vous à la cour.

— Je suis en prison depuis six mois, dis-je donc. Ma santé se détériore ; j'ai des problèmes dentaires et des difficultés digestives. Je suis déprimé. Je demande donc à la cour de m'accorder la liberté sous caution pour que je puisse prendre soin de ma condition physique.

Yesil traduisit mon intervention : le juge éclata de rire. Il s'entretint à nouveau avec mes avocats et, une fois de plus, les soldats s'apprêtèrent à me faire sortir de la pièce.

— Que s'est-il passé ? demandai-je à Yesil.

— C'est très bien. Le juge a vu votre dossier militaire. Il vous envoie en observation à Bakirkoy. Peut-être passerez-vous pour fou !

Peut-être allais-je tout simplement devenir fou.

CHAPITRE 8

A travers les fentes de la porte du camion qui conduisait les prisonniers à Bakirkoy, j'eus un sentiment de liberté. Dans la faible lueur de l'aube, j'aperçus un spectacle merveilleux, depuis longtemps oublié : des femmes, des arbres, l'horizon, toutes choses qui, pour les bienheureux qui vivaient hors des limites de la prison, n'étaient que banales. Et pendant ce temps, j'étais là, enchaîné à un jeune fou décharné qui ne cessait de baver, secoué par la course de ce fourgon carcéral.

Mais au moins, je bougeais. Je n'avais rien fait pendant six mois à Sagmalcilar ; mon seul acte marquant avait été de dissimuler la lime de Johann qui était toujours dans la reliure de mon journal, enfermé dans ma cellule avec quelques autres objets. J'espérais maintenant n'en avoir jamais besoin. Le tribunal m'avait prescrit une période d'observation de dix-sept jours à Bakirkoy, cela devrait suffire pour prendre mes dispositions.

Cette balade cahotante dans le fourgon grinçant me donna l'illusion que j'avais avancé, que je ne retournerais jamais à Sagmalcilar. Pour moi, il était clair que le rapport psychiatrique me considérerait comme « fou » et que je resterais là jusqu'à ce que je puisse organiser mon évasion. C'était ma seule chance.

Il faisait presque nuit lorsque le fourgon se gara le long du mur de l'hôpital psychiatrique. Dans la cour, un arbre énorme était secoué par le vent d'hiver. Je me dis que l'une des branches pourrait me permettre d'accéder à l'extérieur.

Plusieurs aides-soignants vêtus d'uniformes d'un blanc douteux nous prirent en charge à l'entrée du bâtiment administratif. Le plus âgé, qui devait avoir une soixantaine d'années, paraissait très costaud ; un sifflet pendait autour de son cou et les autres l'appelaient « Policebaba ». Tous, de toute évidence, respectaient son autorité.

— *Lira ? Lira ?* demandèrent les aides-soignants.

Je fis mine de ne pas comprendre. C'était le début de mon rôle de fou. J'avais décidé d'avoir l'air triste et renfrogné.

— *Lira ?* me demanda l'un d'entre eux en me regardant droit dans les yeux.

Je sortis, avec un haussement d'épaules, un billet de cent livres de ma poche. Il jeta un coup d'œil à ma montre et m'expliqua par gestes qu'on me la volerait à l'intérieur de l'hôpital. Il la rangea dans un sac à mon nom.

Policebaba surveillait de près cet étranger fou qui avait un billet de cent livres et une belle montre, se disant que ce n'était sûrement pas tout. Il s'approcha de moi et me fit signe de le suivre. Le fou baveur et moi fûmes les premiers à entrer à Bakirkoy.

Les jardins étaient plus étendus que je l'avais imaginé. Des chemins sillonnaient les collines en tous sens ; de nombreux massifs d'arbres et bosquets permettraient de se cacher facilement. J'eus le sentiment que, si je parvenais à m'égarer dans le parc, je pourrais sortir de là et je m'efforçai de mémoriser le chemin que nous prenions pour nous rendre dans la section 13. Mais en février la nuit tombe vite et cela rend le repérage difficile. L'air froid néanmoins était tonifiant.

Devant nous s'élevait un énorme mur de pierre grise d'environ quatre mètres de haut. Nous nous approchâmes d'un portail impressionnant, presque aussi haut que le mur, et dans lequel s'ouvraient deux petites portes métalliques. L'un des aides-soignants sortit une vieille clé de sa poche et fit grincer l'une des petites portes.

Policebaba me détacha et me poussa délicatement à l'intérieur. J'étais à nouveau dans une cour fermée au milieu de laquelle s'élevait un bâtiment rectangulaire et bas : c'était la section 13, le quartier des fous criminels, ma nouvelle résidence.

Une autre clé. Les aides-soignants nous firent entrer dans une petite pièce et nous forcèrent à nous déshabiller ; puis ils nous donnèrent des pyjamas courts, d'une couleur passée, qui paraissaient ridicules pour la rigueur de la saison. Ils nous prirent nos chaussures et nos chaussettes et nous donnèrent une paire de vieilles sandales en caoutchouc. Tous les murs et le sol du bâtiment étaient en pierre, une pierre lisse et froide : il faisait sans doute aussi froid dedans que dehors.

Policebaba m'entraîna dans un pavillon qui était plus sale que tout ce que j'avais connu en prison. Les murs étaient couverts d'une chaux qui était devenue grise, noire même dans les coins. Les plafonds et les murs formaient des arcs, donnant à la pièce l'allure d'un donjon médiéval. L'air froid me fit frissonner.

Plusieurs membres du personnel étaient assis sur un lit, occupés à jouer à un jeu qui s'appelle *kulach* et qui se joue avec deux cartes. Nous passâmes devant eux pour entrer dans une seconde pièce : je fus saisi par le bruit assourdissant et l'agitation qui y régnaient.

Policebaba m'indiqua un lit dans un coin, juste de l'autre côté du mur près duquel les aides-soignants jouaient au *kulach*. Il était occupé par un gros type en pyjama sale qui ronflait d'un air satisfait malgré le bruit ambiant. Policebaba me fit comprendre que je pouvais avoir ce lit mais je me forçai à garder un regard perdu et lointain. Ce lit était bien placé, près de la protection des aides-soignants, et je le voulais. Mais offrir de l'argent au vieux gardien ne paraîtrait-il pas trop censé ?

— *Nebu ?* me demanda un homme débraillé en me tirant par la manche de mon pyjama.

— *Nebu ?* me demanda un autre fou derrière moi en me tirant les cheveux.

Policebaba les chassa en criant et me sourit. Il me signifia une fois de plus que je pouvais avoir le lit du coin puis sembla enfin se rendre compte qu'il était occupé. Il s'approcha alors de l'homme endormi et le fit tomber par terre sans autre forme de procès.

— Allah ! gémit le gros type d'une voix effrayée avant de s'éloigner.

Je jetai un coup d'œil au lit : le matelas était couvert de taches jaunes d'urine et de toute évidence infesté de poux.

— *Pis* (« sale »), marmonnai-je.

Je n'étais pas assez fou pour dormir dans cette crasse.

— Quoi ? me demanda Policebaba d'un air étonné.

Puis il sembla comprendre et me lança un sourire qui découvrit ses dents en or. Il hurla un ordre. Aussitôt, un vieux type arriva avec un morceau de tissu gris déchiré qui était supposé être un drap propre. Il enleva le drap sale qui était sur le lit et en mit un autre, qui n'était guère mieux.

Policebaba indiqua que cela faisait vingt livres. Je me contentai d'un grognement pour signifier que j'acceptais le prix. Il se tourna alors pour donner une série d'ordres impériaux à quelques internés qui se trouvaient tout près : je crus comprendre qu'il leur disait que c'était mon lit et qu'il ne fallait pas me déranger.

Je m'assis sur ma couche, le dos appuyé au mur, pour étudier mon nouveau chez-moi.

— *Cigare ?* me demanda un homme nu en tendant la main. *Cigare ?*

Je ne répondis pas.

Il était jeune et d'une maigreur qui laissait apparaître ses os. Il cachait son sexe de la main gauche et tendait l'autre dans ma direction ; je remarquai que ses ongles étaient rongés jusqu'au sang.

D'une voix monotone, il me redemanda plusieurs fois :
Cigare ?... Cigare ?

D'autres prisonniers firent cercle autour de moi et lui firent écho.

Au bout de quelques minutes, la plupart d'entre eux se découragèrent, mais l'homme nu continua à répéter : « *Cigare ?* » d'une voix douce. Je fis non de la tête ; il cessa de m'importuner mais resta debout devant mon lit, le regard vague et tremblant de froid.

Je m'efforçai de ne pas rencontrer ses yeux et jetai un coup d'œil circulaire sur la pièce : le spectacle ressemblait à une exhibition de monstres de foire et j'étais malheureusement parmi les bêtes de cirque plutôt que parmi les spectateurs. Le bruit, qui était déjà très gênant à Sagmalcilar, était encore pire ici. La pièce résonnait des différentes chansons monocordes qui constituaient un bruit de fond régulier auquel s'ajoutaient des cris et des hurlements sporadiques. Des internés se disputaient bruyamment pour les draps, les couvertures, les lits, les cigarettes. D'autres étaient assis sur leur lit, perdus dans de longs monologues qu'ils ponctuaient de cris et de larmes en se balançant. Beaucoup déambulaient sans but, sales, malodorants, nus ou enveloppés dans des draps déchirés et dégoûtants, semblant suivre une routine incompréhensible. D'autres furetaient dans la pièce, patrouillant sans bruit entre les lits, l'œil vif, prêts à bondir sur tout ce qui pourrait les intéresser. Certains enfin marchaient lourdement en silence, le regard fixe, totalement vide.

A quelques lits du mien était installé un vieux Turc pâle qui portait une petite moustache qui lui donnait l'air d'un portier de comédie. Sous son œil gauche, il avait une grosseur très dure, de la taille d'une noix, qu'il surveillait nerveusement de tous les angles possibles grâce à une petite glace et qu'il ne cessait de caresser de trois doigts.

En face de moi, un type répétait sans cesse : « *Omina koydum* », une expression que j'avais déjà entendue à Sagmalcilar et qui, littéralement, signifie « je la lui mets », mais qui est plutôt un tic verbal sans sens précis. « *Omina koydum* », disait-il à son lit, à ses pieds, au plafond, à son voisin, un vieux juge en retraite qui était devenu fou et qui passait maintenant son temps à recopier des actes juridiques et à empiler les copies. Face à eux, un type avec un chapelet en bois d'olivier était perdu dans ses incantations. Tous trois s'ignoraient.

Le type nu continuait à me regarder fixement, marmonnant parfois le mot « cigare » entre ses dents.

Je décidai de fuir son regard et d'aller inspecter la section 13. Je voulais en comprendre la routine. Je voulais savoir qui gardait la clé, trouver les fenêtres et les portes secrètes.

En retournant dans la première pièce, je sentis immédiatement que l'ambiance y était très différente. Bien que très sale, elle faisait figure de palace par rapport à la pièce où se trouvait mon lit. Quarante ou cinquante lits étaient alignés en trois rangées. La plupart étaient recouverts de draps propres. Personne n'était nu. Les hommes, vêtus de pyjamas usés mais propres, avait l'air d'être en pleine possession de leurs moyens.

J'eus alors la surprise de reconnaître Memet Celik, que j'avais vu au tribunal, et Ali Aslan, que j'avais vu en prison. Tous deux étaient des *kapidiye*, des gangsters turcs de haut niveau cruels et vicieux, certes, mais absolument pas fous. Ils portaient leur propre pyjama, et non celui de l'hôpital, et jouaient au *kulach* avec les aides-soignants. Que faisaient-ils donc à Bakirkoy ? Ils ne pouvaient de toute évidence pas se permettre de s'évader et de rester dans l'ombre toute leur vie. Pourquoi alors ces *kapidiye* étaient-ils à Bakirkoy ?

En tentant d'élucider ce mystère, je regagnai ma chambre où des hommes nus et sales s'agitaient en vociférant. Quel contraste ! Il y avait toujours devant mon lit ce type qui voulait un cigare ; je décidai donc de reprendre mon exploration. Je passai lentement entre les lits, en dévisageant leurs occupants : la plupart évitaient mon regard mais certains me fixaient effrontément tandis que d'autres essayaient de me toucher. Je m'éloignai en souriant et allai examiner la pièce voisine. L'odeur me fit reculer : la pièce était bondée de corps entassés à neuf ou dix par couche. La loi de la jungle semblait y régner : un type en jeta un autre par terre ; celui-ci revint à la charge en hurlant.

La pièce résonnait de hurlements, de disputes et de jurons. L'odeur d'excréments se mêlait à celle des vapeurs d'ammoniaque et l'air devenait irrespirable à mesure que l'on s'approchait des toilettes.

La recherche des toilettes était d'ailleurs l'un des buts de mon expédition, non pas tant pour les utiliser que parce que je pensais qu'il y aurait peut-être une fenêtre à l'abri du regard des aides-soignants. Je jetai un coup d'œil sans grand résultat, et l'odeur était tellement forte que je dus reculer immédiatement. Je décidai de remettre l'examen des toilettes au lendemain.

Tout près, un Turc souriant en pyjama vendait des cigarettes.

— *Cigare ?* me proposa-t-il. *Birinici ?*

Il m'indiqua qu'un paquet de cigarettes Birinici coûtait une livre. Je m'éloignai et, me tournant vers le mur, je sortis discrètement un billet de cinq livres de mes sous-vêtements : maintenant, au moins, je pourrais chasser le type nu qui faisait le siège près de mon lit.

Le soir, l'un des aides-soignants arriva avec quantité de pilules de toutes les couleurs.

— *Hop ! Hop !* (« Pilule, pilule ! ») criait-il.

Je refusai : je détestais les barbituriques. Mais tous les autres les avalèrent comme des bonbons, par poignées.

Dès que les cachets commencèrent à faire leur effet, le bruit baissa considérablement, à l'exception d'un ou deux cris occasionnels. Le personnel retourna à ses jeux de cartes. La section 13 était prête pour la nuit.

Je m'allongeai en grelottant sous mon drap : une fenêtre cassée tout près de mon lit laissait entrer le vent glacial. Je m'efforçai de chasser de mon esprit les images insupportables de cette première journée à Bakirkoy, qui me détournaient du but réel de mon internement. J'étais ici pour obtenir un rapport psychiatrique puis pour mettre au point mon évasion. Mais qui possédait la clé du lieu ? Comment pourrais-je escalader l'énorme mur extérieur ? Où pourrais-je aller dans cette tenue ? Dès le lendemain, décidai-je, je commencerais à préparer mon projet. Deux ou trois heures plus tard, je finis par m'endormir.

En plein milieu de la nuit, j'eus la sensation que quelqu'un était tout près de moi. Je me retournai et distinguai le visage sombre d'un jeune homme d'une vingtaine d'années, grand, très mince et souriant ; il était simplement enveloppé dans un vieux drap qu'il maintenait avec son menton, comme le font les paysannes avec leur châle. J'avais l'impression qu'il avait les yeux jaunes.

Il eut un petit sourire satisfait lorsqu'il constata ma surprise et ma peur : il entrouvrit la bouche et passa sa langue sur ses lèvres désséchées en me regardant de la tête aux pieds. Je ne comprenais que trop bien ce qu'il voulait. Je me retournai et mis mon drap sur ma tête mais il ne bougea pas.

— *Cigare ?* me demanda-t-il d'une voix douce.

Je ne répondis pas.

— *Cigare ? Cigare ?*

Sa présence me dérangeait ; je sortis la tête de dessous le drap pour le dévisager. Il me sourit à nouveau et tendit la main.

— *Cigare ? Cigare ? S'il vous plaît* [1].

Je fus tellement surpris de l'entendre parler français que je sortis mon paquet de Birinici de dessous mon oreiller. Il me demanda du feu et je lui allumai sa cigarette. Il repassa alors sa langue sur ses lèvres avant de disparaître dans l'obscurité.

***

Je fus réveillé tôt par le bourdonnement des prières provenant de la troisième pièce. Aucun des occupants des deux premières ne semblait porté sur la religion, qui était apparemment réservée aux plus fous. Tremblant de froid dans mon lit, je tentai de réfléchir. J'avais eu peur de ne pas résister à l'enfermement à Sagmalcilar, mais je me demandais maintenant comment je pourrais supporter la folie ambiante. J'avais peur que mon esprit déjà affaibli ne soit contaminé.

Les aides-soignants vinrent nous réveiller vers sept heures en nous donnant de petits coups de bâton. Seuls furent épargnés les *kapidiye* et quelques êtres végétatifs incapables de quitter leur lit. Ils nous regroupèrent comme du bétail près du réfectoire puis allèrent chercher, toujours à coups de bâton, les

1. En français dans le texte.

94

retardataires cachés sous les lits et dans les coins. A notre entrée dans la petite pièce qui ne devait pas excéder les dix mètres carrés, je fus saisi à la gorge par l'odeur des corps sales et des haleines fétides. Nous étions entassés les uns sur les autres. Soudain je sentis une main qui se frottait contre mes fesses puis me caressa le sexe. Me retournant brusquement, je vis un Turc qui me regardait d'un œil lubrique : je lui envoyai mon genou entre les jambes et m'éloignai rapidement en me frayant à coups de coude un chemin entre les Turcs qui m'insultaient. J'allai me réfugier contre le mur. Les aides-soignants nous comptèrent lentement, retournant dans les chambrées pour ajouter les *kapidiye* et les légumes au total obtenu. Nous restâmes ainsi plus d'une demi-heure enfermés dans cette pièce puante et enfumée.

Leur compte fut enfin bon et ils nous permirent de sortir. Quelqu'un me donna un bol et le remplit d'une espèce de soupe tiédasse où nageaient quelques lentilles. Je l'avalai avidement car j'avais sauté le dîner la veille.

La nature m'imposa alors un besoin incontournable. J'avais retardé ce passage aux toilettes jusqu'aux limites du possible. Retenant mon souffle, j'entrai dans la pièce sombre ; le sol était couvert d'excréments qui baignaient dans l'urine. Je me dirigeai sur la pointe des pieds vers l'un des quatre trous et m'accroupis à la turque.

Un Turc efflanqué vint immédiatement se poster devant moi et se mit à se masturber en fixant mon pénis. Mes cris l'effrayèrent et il s'éloigna rapidement, pour revenir aussitôt. Je n'avais rien d'autre à faire qu'à l'ignorer pour pouvoir quitter au plus vite cet endroit puant. Un Turc au regard vague entra alors, marchant pieds nus dans les excréments. Il parut alors réaliser où il se trouvait : un liquide foncé lui coula entre les jambes et forma une flaque à ses pieds. Dès qu'il eut terminé, il partit dans une traînée d'urine.

Il me fallait de l'air. Heureusement pour moi, l'un des aides-soignants choisit ce moment pour ouvrir la porte et nous laisser sortir dans la cour.

L'air frais me fut salutaire malgré le froid glacial qui me transperça le corps. Tout en commençant mon inspection du système de sécurité, je respirai à pleins poumons.

Le mur était au moins deux fois plus haut que moi ; il était en pierre et en ciment comme le vieux bâtiment. Par endroits, le ciment était tombé en grandes plaques, laissant apparaître de gros trous entre les pierres grâce auxquels je pourrais escalader. Le sommet du mur était protégé par du fil de fer barbelé qui s'entrelaçait avec le lierre.

Je fis lentement le tour de la cour en regardant de près les trous dans le mur. Les pierres étaient lisses au niveau du sol, sans doute frottées et refrottées par de nombreux internés. Derrière le bâtiment, un escalier descendait vers la porte de la cave, qui était verrouillée de l'intérieur. L'escalier était entouré d'un muret pas plus haut que moi et je me demandai si je pourrais sauter de là jusqu'au sommet du grand mur. Prenant un air naturel, je montai sur le muret et comptai mes pas pour évaluer la distance. Avec un bon élan, je pourrais probablement arriver presque en haut. Et si j'arrivais à me procurer une corde et à y fixer une pierre ou un morceau de bois, je pourrais la lancer au sommet et l'accrocher dans le fil de fer barbelé pour pouvoir grimper. Le fil barbelé devrait soutenir tout le poids de mon corps : ce n'était peut-être pas la solution la plus sûre, mais c'était toujours une possibilité.

Mais en continuant ma promenade le long du mur, je découvris une réelle chance de m'évader par le mur de l'ouest. Le ciment s'était effrité en de nombreux endroits, ce qui en facilitait l'escalade. Je n'avais aucune idée de ce que je trouverais de l'autre côté mais ce ne serait plus la section 13. Ce mur marquait la frontière de ma liberté.

Dans la cour, un jeune homme qui s'appelait Yakub m'aborda pour me proposer une cigarette ; il parlait assez bien l'anglais et nous fîmes un brin de causette. Il me dit tout de suite que le tribunal l'avait envoyé ici en observation : il avait tué sa sœur parce qu'elle se prostituait. Il semblait trouver cela tout à fait normal mais avait l'air parfaitement sain d'esprit et très au courant du fonctionnement de la section 13. Il m'expliqua que les *kapidiye* venaient souvent à Bakirkoy pour se reposer : ils avaient parfois un problème juridique qui pouvait prendre un an pour être réglé par un tribunal, et ils se faisaient envoyer à l'hôpital où ils étaient moins harcelés qu'en prison. Ici, grâce à leur réputation et à leur argent, ils étaient traités comme des rois et habitaient dans la première pièce, où les vrais fous ne promenaient jamais leurs loques.

— Plus tu es fou, me dit Yakub, plus tu dors loin des *kapidiye*.

Un battement d'ailes me fit lever la tête : un énorme paon vint se poser sur le fil de fer barbelé, se lissa longuement la queue puis disparut. La liberté dont jouissait cet oiseau me laissa sans souffle.

— Il y en a partout dans le parc, me dit Yakub, rompant le charme.

Cette promenade à l'extérieur était vivifiante mais, très vite, nous ne pûmes réprimer des tremblements de froid qui nous obligèrent à rentrer. Un petit marchand était installé près de la porte. Yakub m'expliqua que certains internés avaient des emplois à l'extérieur ; ils achetaient alors de la nourriture qu'ils revendaient ici en faisant un petit bénéfice. Aujourd'hui il y avait des oranges, des oignons, du pain et des yaourts, et surtout beaucoup de cigarettes.

Je m'achetai une orange et un yaourt, qui me permirent de me passer de la soupe délayée de l'hôpital, et quittai Yakub pour aller sur mon lit. Trois hommes se précipitèrent pour ramasser l'écorce d'orange que j'avais jetée par terre. Ils se battirent pour l'avoir puis s'éloignèrent pour me regarder avec envie manger mon yaourt. J'en laissai un fond que j'offris à un homme accroupi au pied de mon lit. Il fit un bond puis marqua une hésitation avant de m'arracher le pot des mains et d'aller le lécher dans un coin.

J'aperçus, tout au bout du bâtiment, entre les étals des petits marchands et les toilettes, un escalier que je décidai d'explorer.

Les marches circulaires étaient plongées dans l'obscurité, humides et glissantes comme si elles étaient recouvertes de mousse. Je les descendis avec moult précautions et me retrouvai dans un donjon médiéval très sombre, une petite pièce basse qui me semblait peuplée de fantômes égarés. Deux minuscules ampoules nues donnaient un semblant de lumière dans l'un des coins. De l'autre côté, une cuisinière ventrue diffusait une faible lueur tout à fait inquiétante. Des silhouettes d'hommes hagards se dessinaient dans la pénombre. Je finis par distinguer plusieurs paires d'yeux qui fixaient le néant.

Ce plafond bas m'oppressait. Mon premier mouvement fut de partir en courant mais je parvins à me reprendre et j'entrai, le dos instinctivement contre le mur. Mes yeux s'habituèrent à la faible lumière et je pus distinguer plusieurs hommes qui faisaient, d'un pas lent, le tour d'un pilier central. D'autres étaient rassemblés autour du poêle. D'autres encore étaient entassés sur des planches de bois fixées le long de deux des murs.

Beaucoup d'entre eux étaient nus, couverts de plaies aux

genoux, aux coudes et aux fesses. Certains étaient enveloppés de haillons. Ils étaient beaucoup plus calmes que ceux d'en haut. Je compris que je venais de trouver le bas du panier de Bakirkoy, ceux qui n'étaient même pas jugés dignes de la troisième pièce en haut, en quelque sorte les damnés.

L'un des hommes nus tenta d'approcher du poêle. Le contact avec le métal brûlant, contre lequel on l'avait poussé, lui arracha un cri. Il grogna et serra les poings mais plusieurs internés se liguèrent contre lui et, après un semblant de résistance, il finit par s'éloigner en gémissant.

Le gros pilier central, sinistre, portait le poids du plafond menaçant. La ronde incessante des hommes me fascina. Ils formaient une roue dont les rayons — les hommes eux-mêmes — étaient brisés. Ils avaient l'air d'avoir entrepris un voyage qui ne menait nulle part. Imperceptiblement, je fus attiré dans cette ronde et allai les rejoindre. Je trouvai facilement une place dans leur cercle mouvant et sans but. Nos pieds avaient un rythme apaisant et réconfortant. Ces hommes ressemblaient à des chevaux de trait qui continuent à avancer d'un pas égal même lorsqu'on leur retire les rênes. Il était certainement facile de perdre la raison dans cette ronde de folie.

Je marchai ainsi pendant près d'une heure. Mais je ne voulais pas rester loin de mon lit trop longtemps, de crainte que les médecins ne viennent m'examiner. J'y retournai donc et répétai le discours paranoïaque que j'avais prévu de leur faire.

La journée passa lentement. Au début de la soirée, les médecins n'étaient toujours pas passés.

Par une fente dans le cadre en bois de la fenêtre, je regardai le mur de gauche et les trous qui en permettaient l'escalade. Je vis le soleil se coucher derrière le mur pour éclairer cette autre partie du monde qui me manquait tant.

Mais la section 13 se rappela brutalement à moi. Deux hommes s'approchèrent de l'un de mes voisins, celui qui ne cessait de chantonner en égrenant son chapelet. L'un d'entre eux le lui prit et le jeta à un autre type à l'autre bout de la pièce.

— Allah ! gémit l'homme en tentant de reprendre son chapelet. *Yok, yok, yok*, implora-t-il en enjambant les lits.

Plusieurs hommes se joignirent au jeu et se jetèrent le chapelet aux quatre coins de la pièce.

— *Brack !* dit-il, le visage rouge de colère.

Le pauvre homme devenait fou furieux, pris du désir impérieux de récupérer l'objet sacré. La sueur perlait sur son crâne chauve. Son corps s'agitait. Il devint violent. La plaisanterie avait assez duré et il se mit à beugler en faisant des bonds par-dessus les lits et les corps, piétinant ceux qui tentaient de l'arrêter.

Il courait comme un fou dans la pièce, tentant d'attraper ce chapelet que ses bourreaux se lançaient. Du coup, d'autres aliénés commencèrent à hurler et à se battre.

Un aide-soignant finit par être alerté et appela : « Osman ! » De la première pièce surgit le Turc le plus costaud que j'aie jamais vu. Il avait l'air d'un gorille avec la même vague lueur d'intelligence dans le regard sous des sourcils broussailleux. Il se rua sur le propriétaire du chapelet qui, à ses yeux, était le responsable de la bagarre, le saisit par les épaules et le jeta contre le mur. Le vieux fou s'écroula immédiatement sur le sol ; Osman le releva pour le transporter dans la première pièce où des aides-soignants pansèrent ses plaies sous le regard satisfait du gorille.

***

Dans le brouhaha incessant de ces fous qui répétaient inlassablement « Cigarettes, cigarettes » ou *Omina koydum* », je pouvais difficilement réfléchir ; j'avais pourtant besoin d'examiner ma situation de plus près, de prévoir une action. Mais où pouvais-je m'isoler dans cet asile ?

Je repensai à la ronde ; là, je pourrais me clarifier les idées en faisant les cent pas. Je descendis dans la cave et pris place dans cette procession dont le seul but était de faire le tour du pilier. Je ne cessais de penser au mur de gauche et aux énormes trous qui me permettraient de l'escalader. J'étais agile comme un singe, l'exploit ne m'inquiétait guère. Mais où pourrais-je trouver des vêtements ? Un passeport ? Et surtout, si je parvenais à m'échapper de là, aurais-je assez de temps pour franchir la frontière avant d'être retrouvé ? Ma liberté se trouvait hors des limites de la Turquie, et pas seulement de l'autre côté du mur de l'hôpital. Mes cheveux blonds et mon pyjama court ne passeraient pas inaperçus dans les rues d'Istanbul. Je décidai donc d'attendre le diagnostic des médecins avant d'agir.

Une main se posa sur mon épaule et coupa court à ce débat intérieur.

— Vous êtes anglais ? me demanda une voix bourrue.

C'était un grand Turc cadavérique au teint grisâtre qui portait une barbichette. Ses cheveux blancs étaient tout emmêlés et collés, soulignant la forme de son crâne. Par endroits, de grosses mèches étaient tombées ou avaient été arrachées.

— Vous êtes anglais ? répéta-t-il avec un accent britannique tout à fait inattendu.

— Américain, répondis-je.

— Ah ! Américain ! Je m'appelle Ahmet, dit-il en souriant. J'ai fait mes études à Londres il y a très, très longtemps.

Il marcha à mes côtés pendant une vingtaine de minutes en me parlant de ses voyages à Londres et à Vienne ; il avait étudié les sciences économiques et avait travaillé un peu partout en Europe. Je lui dis quelles études j'avais faites et pourquoi je les avais abandonnées pour voyager.

— Vous êtes allé trop loin, devina-t-il.

— Oui, c'est vrai, admis-je.

Poussé par la curiosité, je ne pus m'empêcher de lui demander :

— Depuis combien de temps êtes-vous ici ? Pourquoi avez-vous été interné ?

— Je crois que nous avons assez parlé pour aujourd'hui, me dit-il sans se départir de son impassibilité. Bonne nuit.

Ahmet s'enveloppa dans ses loques, se mit à quatre pattes et se glissa, en rampant dans la crasse, sous la planche le long du mur.

**

Trois médecins turcs me convoquèrent au bureau le lendemain matin. Ils parlaient tous assez bien anglais.

— Bonjour. Comment allez-vous, William ? me demanda celui d'entre eux qui était de toute évidence le responsable.

Je ne dis rien.

— Pourquoi êtes-vous ici, William ? me demanda-t-il.

Les yeux baissés, je restai silencieux, m'efforçant d'avoir l'air tendu, ce qui, vu les circonstances, n'était pas très difficile. Mon corps s'agita d'un léger balancement.

— Voulez-vous vous asseoir ?

— Non, répondis-je en reculant dans un coin.

— Qu'est-ce qui ne va pas, William ? Pourquoi êtes-vous ici ?

— Ils m'ont envoyé.

— Qui ça « ils » ?

Silence.

— Êtes-vous malade ? Avez-vous des problèmes ? Que pouvons-nous faire pour vous venir en aide ?

Les questions étaient claires et précises, posées avec calme. Un second médecin notait des renseignements sur une fiche.

— Ils m'ont envoyé de la prison ici, me mis-je à crier. De la prison. Je ne sais pas. Je ne sais pas. Que me font-ils ?

— Avez-vous des problèmes ?

— J'ai...

Je fixai le médecin qui prenait des notes.

— Qu'est-ce qu'il a à écrire, celui-là ? hurlai-je. Il croit que je suis un animal ? Que me faites-vous ? Je ne suis pas un animal qu'on enferme dans une cage !

— Calmez-vous, William. Qu'est-ce qui ne va pas ? Nous sommes ici pour vous aider.

— Mon problème... Ils m'ont enfermé dans cette prison... J'essaie de prendre des notes... J'étais intelligent avant... Je suis allé à l'université... J'écrivais... Je ne peux même plus lire un livre maintenant... Ils me regardent tout le temps... Je ne peux même pas écrire une lettre à mes parents... J'oublie...

J'allai me cacher dans un coin, en leur tournant le dos.

Les médecins échangèrent quelques mots en turc. Je me demandai si ma scène avait marché, si j'en avais assez fait. Peut-être devrais-je bondir sur le médecin et lui mordre le nez, par exemple ?

— Que voulez-vous que nous fassions, William ? Voulez-vous rester ici ?

— Non.

— Voulez-vous retourner en prison ?

— Non. Ils veulent me tuer là-bas. Ils m'enferment comme un animal.

— Pourquoi ne vous asseyez-vous pas ? me proposa-t-il gentiment.

— Je ne veux pas m'asseoir sur votre foutue chaise ! hurlai-je en la renversant d'un coup de pied.

L'aide-soignant s'approcha de moi : le médecin l'arrêta d'un geste.

— Vous vous foutez de moi ! Ça vous est égal que je meure ! Vous êtes comme les autres : tout ce que vous voulez, c'est m'enfermer et me tuer. Je ne veux pas rester ici !

Je fonçai sur la porte, bousculai l'aide-soignant qui tenta de me maîtriser et courus dans la seconde pièce. Je me jetai sur mon lit, me demandant moi-même comment j'avais pu en faire tant.

Quelques instants plus tard, le médecin qui était jusque-là resté silencieux vint me réconforter.

— Allez, me dit-il. Revenez. Tout va bien se passer.

Je le suivis dans une autre pièce.

Il me fit asseoir et s'installa en face de moi, puis posa ses deux mains sur mes genoux nus et me parla d'une voix douce :

— Je pense que je peux vous aider. Je veux bien prendre contact avec le consul américain et parler avec lui. Mais je ne peux rien faire pour vous ici. Il faut que vous veniez dans ma section, et pour cela, il faut que le consul accepte de se porter garant de vous.

Je m'efforçai, en dépit de la tempête qui m'agitait intérieurement, de ne rien laisser paraître. Si le consul se portait garant de moi ! Cela voulait donc dire que je ne serais plus enfermé, qu'il n'y aurait ni barreaux ni murs. Juste des médecins pour soigner des pauvres fous comme moi. Je me voyais déjà passer là quelques jours pendant lesquels je pourrais me promener dans le parc, me lier avec ce médecin, après quoi je m'envolerais. Et fini Bakirkoy, Sagmalcilar et la Turquie !

Le médecin me permit de téléphoner. J'appelai Willard Johnson, le vice-consul, et lui expliquai la situation sur le ton le plus calme possible. Il me promit de reprendre contact avec moi dans un bref délai.

De retour sur mon lit, j'eus l'impression de sentir la liberté toute proche. Je n'aurais plus besoin d'escalader le mur. Tout ce qu'il me fallait, c'était convaincre le médecin que j'avais vraiment besoin d'être soigné et je serais transféré dans cette section qui était pour moi la porte de la liberté.

Je suivis le modèle des quatre cent cinquante fous de la section 13 et adoptait un comportement de plus en plus bizarre, désireux d'être vraiment considéré comme un prisonnier à soigner au cas où je serais observé. Je me mis à mouiller mon lit et à déféquer par terre. Comme la plupart de mes compagnons, je me promenai nu, non sans avoir auparavant dissimulé mon argent dans un trou du matelas. Il me fut pénible de déambuler sans vêtements mais je me dis que, si cela pouvait faire avancer mes affaires, cela en valait la peine. Les aides-soignants ne firent guère attention à mes agissements : je n'étais qu'un fou de plus à se balader tout nu. Seul Policebaba parut s'inquiéter mais je ne fis pas attention à ses protestations. Les seules personnes qui semblaient s'intéresser à ma nudité ne le faisaient pas pour la bonne raison. Je finis par abandonner ce comportement.

J'allai marcher en rond dans la cave pendant des heures.

Les jours passaient sans rien apporter de nouveau. Pourquoi le consul ne venait-il pas ? Peut-être ne l'avait-on pas laissé entrer ? Pourquoi ne m'avait-on rien dit ? Pourquoi m'avait-on laissé dans cette section 13 ? Mon rêve d'évasion céda le pas à l'inquiétude.

Je payai un aide-soignant pour pouvoir utiliser le téléphone ; je rappelai Willard Johnson, qui me promit de transmettre mon message au consul.

Puis, un après-midi, alors que j'étais assis sur ma couche, un petit Turc s'approcha de moi. Il devait avoir une trentaine d'années. Il était mince et portait un pyjama assez propre comparativement aux autres, ce qui semblait indiquer qu'il était moins atteint que la plupart des pensionnaires. Il avait des yeux vifs, brillants, inquiétants, qui me dévisagèrent.

— Tu ne sortiras jamais d'ici, me dit-il dans un anglais parfait.

Qui était cet homme ? Je tremblai en me demandant ce qu'il pouvait bien savoir.

— Tu penses que tu vas bientôt sortir d'ici, poursuivit-il, mais c'est faux.

— Qui sait ? lui dis-je en tentant de masquer mon inquiétude. Où avez-vous appris l'anglais ?

— J'ai fait des études. Dehors.

— Que faites-vous ici ?

— On m'a placé ici.

— Qui ?

— Eux.

— Depuis longtemps ?

— Oui, très longtemps.

— Pourquoi ne sortez-vous pas ?

— Peux pas. Ils ne me laissent pas sortir.

Je comprenais bien pourquoi : il avait vraiment l'air fou. Ses yeux, injectés de sang et globuleux, étaient parfaitement inquiétants. Je me sentais mal à l'aise en face de lui.

— Mais ils ne te laisseront pas sortir non plus, me dit-il.

Je me demandai d'où il tenait ce renseignement et fus irrité par le ton assuré avec lequel il m'annonçait la nouvelle.

— Comment le savez-vous ? Ils me laisseront sortir.

— Non. Jamais. Ils le disent mais ils ne le font pas. On ne sort jamais d'ici.

Je me retournai en espérant qu'il partirait. Cette conversation ne me plaisait guère. Ce type était de toute évidence fou et je n'avais aucune envie de discuter avec lui.

Mais Ibrahim — ainsi se prénommait-il — reprit sa conversation après avoir allumé une cigarette. J'avais une envie folle de le chasser de là mais ce serait reconnaître que je ne pouvais rien répondre à son affirmation. Je ne cessais de lui répéter qu'il était peut-être coincé ici pour toujours mais que, moi, je sortirais bientôt.

Il tenta alors de m'expliquer la situation sur le ton du père qui parle à ses enfants.

— Nous sortons tous d'une usine, me dit-il. Parfois l'usine produit de mauvaises machines qui ne fonctionnent pas. Alors on les met ici. Les mauvaises machines ne savent pas qu'elles sont de mauvaises machines. Ce sont les gens de l'usine qui le savent. Ils nous mettent ici et ils nous gardent ici.

— On va peut-être vous garder, lui dis-je, mais moi, je sortirai.

— Non. Tu ne sortiras jamais d'ici. Tu es l'une de ces machines qui ne marchent pas.

CHAPITRE 9

Chaque jour passé à Bakirkoy m'éloignait un peu plus de la réalité. La folie de mes voisins semblait contagieuse ; j'étais oppressé par l'enfermement, dérangé par le bavardage et les cris des internés. J'avais un besoin urgent de quitter cette section 13.

Pour cinquante livres, Policebaba accepta d'envoyer un télégramme pour moi. Je décidai d'adresser à Willard Johnson, au consulat américain, un message qui exprimerait à la fois mon déséquilibre et mon désespoir ; je voulais qu'il vienne ici persuader le médecin que j'étais digne de confiance, seule condition pour que je sois transféré dans une section libre. Johnson se défila.

Les jours passèrent. Ibrahim revint me voir pour m'expliquer que je ne savais pas ce qu'ils me faisaient parce qu'une machine en mauvais état ne pouvait pas savoir qu'elle était en mauvais état.

Je finis par croire qu'Ibrahim avait raison. Willard Johnson se terrait dans un silence curieux. Les médecins ne s'intéressaient plus à moi. Je recommençai à envisager d'escalader le mur. Devais-je attendre encore ou tenter le coup tout de suite ? Si j'étais enfin officiellement considéré comme « fou », j'aurais tout le temps de m'évader. Peut-être d'ailleurs n'aurais-je que cette solution pour partir d'ici car, s'ils me croyaient vraiment fou, ils ne me laisseraient pas sortir. Je me rendis compte que j'essayais de créer la situation précise qu'Ibrahim avait prédite.

***

Un matin, réveillé tôt par les prières, je sortis du lit pour aller marcher seul autour du pilier et réfléchir. En traversant la troisième pièce, je vis les fous qui priaient sous la conduite d'un vieil Hodja à barbe blanche qui faisait office de chef spirituel de la section 13. Certains étaient agenouillés sur des tapis de prière, d'autres sur des morceaux de drap ou de couverture. Deux hommes handicapés avaient du mal à se courber et à s'agenouiller et finirent par tomber.

Au sous-sol, la ronde était immobile : les marcheurs de nuit étaient déjà couchés et ceux du jour n'étaient pas encore debout. Dans tous les coins j'aperçus des silhouettes enveloppées dans des draps déchirés, les unes contre les autres. C'était la première fois que je voyais ces hommes ne pas êtres pris dans leur ronde. La roue avait jusque-là toujours été en mouvement lors de mes descentes et toujours dans le même sens. Pourquoi donc ? Je me demandai alors ce qui se passerait si je commençais à marcher dans l'autre sens, si les habitués me suivraient. Je décidai de faire un essai.

Le premier rayon de la roue tourna donc dans le mauvais sens ce matin-là. Je tournai seul autour du pivot central de la roue à une allure régulière et mécanique. Ce lent mouvement circulaire dans l'obscurité était apaisant et je ne me serais pas interrompu si deux Turcs n'étaient arrivés et n'avaient commencé à marcher dans le sens habituel, m'obligeant à faire demi-tour. Je leur fis signe de me suivre.

— *Gower !* marmonnèrent-ils en continuant imperturbablement.

Toutes les fois qu'ils me croisaient, ils essayaient de me barrer le chemin, mais j'étais décidé à ne pas céder et à les forcer à me laisser le passage. Pour une raison que je ne saisissais pas, cela m'était devenu très important. C'était une façon de résister à la folie ambiante.

Ahmet s'approcha de moi dans l'obscurité et me tira sur le côté. De plus en plus de Turcs s'éveillaient et reprenaient leur marche.

— Un bon Turc marche toujours vers la droite, m'expliqua Ahmet. La gauche, c'est les communistes. La droite, c'est bien. Suis-les. Tu auras des ennuis si tu continues dans l'autre sens.

Je me rangeai à son conseil. En un sens, c'était beaucoup mieux d'être embarqué avec les autres dans ce voyage qui ne menait nulle part. Nous continuâmes à tourner à ce rythme apaisant, comme pour arrêter le temps. Plusieurs années plus tard, ces fous seraient probablement toujours là à tourner dans le même sens, j'en étais sûr. J'eus soudain cette vision de moi-même enveloppé dans des guenilles, perdu dans cet univers de folie à tourner sans but autour d'un pilier. Je remontai rapidement.

Ibrahim m'aborda à nouveau ce matin-là. C'était certainement le meilleur spécialiste des machines de Turquie : il me répéta que j'étais une mauvaise machine et que je ne quitterais jamais Bakirkoy. Sa seule vue me dérangeait : la lueur étrange qui brillait dans ses yeux m'inquiétait beaucoup plus que je ne l'avais pensé au début. Il m'était de plus en plus difficile d'échapper à ces divagations.

Allongé sur ma couche ce soir-là, je me repris à regarder par la fente dans l'encadrement de la fenêtre. La pleine lune brillait faiblement au-dessus de la section 13. Les cris devinrent de plus en plus perçants, et même les internés habituellement calmes s'agitèrent. Il y avait de l'électricité dans l'air, et j'en sentais moi-même les effets.

Yakub, l'homme qui avait tué sa sœur, arriva en courant dans la pièce. Cet après-midi, nous avions partagé une cigarette ; il était net et portait un pyjama propre. Maintenant, il était nu, pris d'une sorte de folie hystérique. Son visage était lacéré d'égratignures sanglantes. Des aides-soignants tentèrent de le maîtriser et lui attachèrent les mains à l'aide d'un *kiyis*, une espèce de lanière de cuir qu'ils nouèrent ensuite autour de sa taille. C'est ainsi qu'il fut traîné par les gardiens jusque dans la cave, malgré ses hurlements.

Les gardiens remontèrent. J'attendis quelques minutes puis je descendis le voir.

J'entendis ses cris qui venaient d'une pièce située derrière les cellules d'isolement. Il n'était pas enfermé, simplement attaché à un lit, contre le mur. Plusieurs internés faisaient cercle autour de lui ; l'un d'entre eux s'assit sur le lit et se mit à tirer sur le pénis de Yakub comme s'il était en caoutchouc. Un autre s'accroupit à ses pieds et tenta d'introduire ses doigts dans son anus. Un troisième, nu et attaché lui aussi avec un *kiyis*, lui bredouillait quelque chose en bavant : c'était ce qui semblait importuner le plus Yakub, qui s'avança pour lui mordre le visage, jurant et tirant sur le *kiyis* sans résultat. Les aides-soignants avaient veillé à l'empêcher de remonter cette nuit-là.

Je me ruai dans la pièce, et bousculai ses bourreaux que

j'écartai brutalement. Mais ils reviendraient dès que je serais parti. Je tentai alors de parler à Yakub, de lui dire que j'allais défaire le *kiyis*, mais il ne me reconnut pas. Et je ne le reconnus pas non plus. Ce n'était plus la personne avec qui j'avais parlé, pris mes repas au cours des jours précédents.

Son corps se tendait pour arracher les liens. Il poussait des grognements, bavait, mordait.

Je ne défis pas le *kiyis* et l'abandonnai à son sort.

L'explosion de violence se poursuivit toute la nuit, comme une sorte d'incantation à la pleine lune. Le personnel distribua des doses supplémentaires de somnifères ce soir-là. Un calme précaire finit par régner sur la section 13. Allongé sur mon lit, je pensai aux légendes des loups-garous dans les montagnes.

Des cris perçants venant de l'endroit où les aides-soignants jouaient aux cartes me réveillèrent au milieu de la nuit. Un interné nu, les mains liées d'un *kiyis*, entra d'un pas titubant dans la deuxième pièce. Il se heurta à mon lit, se releva et courut vers les aides-soignants en criant d'une voix perçante.

— Osman, appela l'un d'entre eux.

Le videur arriva en courant comme un toutou, saisit le type à bras-le-corps et le jeta vers la troisième pièce. L'homme, les mains entravées, s'écrasa contre les lits et s'affala par terre. Osman le regarda un instant avant de retourner dans la première pièce.

L'interné se releva alors et se dirigea à nouveau vers les aides-soignants. Son visage était enflé et sa bouche saignait. Il s'arrêta près de mon lit et je vis qu'il pleurait, essayant de dire quelque chose que les sanglots rendaient incompréhensibles. Il donnait l'impression de supplier qu'on l'écoute. Les voisins lui crièrent de se taire : il se tourna vers eux pour tenter de leur expliquer ce qui semblait être si important qu'il acceptait d'être battu pourvu qu'il puisse le dire.

Osman revint et saisit le type par-derrière. Il le plaqua contre le mur ; l'homme, enragé, planta ses dents dans l'épaule du gorille, qui le prit violemment par les cheveux en hurlant. Il lui envoya plusieurs gifles violentes qui l'auraient jeté par terre s'il n'était toujours maintenu par les cheveux. Osman frappait avec le revers de la main, comme Hamid. Le bas de mon lit était tout éclaboussé de sang.

Finalement, Osman tira sa victime par les cheveux jusqu'à l'escalier, dans lequel il la précipita. Son corps heurta bruyamment la pierre et roula dans la cave. Osman verrouilla la porte. Tout était calme au sous-sol.

Je me dis alors que cela se passait peut-être toujours ainsi, que peut-être personne ne sortait jamais d'ici, et qu'ils laissaient les machines se détériorer pour les jeter ensuite à la cave.

***

Tout le bâtiment fut réveillé par un cri strident ce matin-là, au moment où l'asile, encore secoué par les effets de la pleine lune, reprenait lentement vie. Les internés s'interrogèrent du regard. Un autre cri perçant rompit le silence : il venait de toute évidence de l'extérieur.

Je courus à la fenêtre, suivi de plusieurs autres. Nous vîmes un paon juché au sommet du mur. Ses plumes, prises dans le fil de fer barbelé, étaient de plus en plus tachées de sang car l'oiseau se débattait pour se libérer. Mais plus il s'agitait, plus il s'empêtrait. Plusieurs de mes compagnons se mirent à crier et à applaudir, pris d'un rire hystérique. Je regardai l'oiseau. Il se débattit pendant une demi-heure avant d'être délivré par la mort.

Ce matin-là également, les aides-soignants découvrirent que l'un des internés-légumes était mort pendant la nuit. Ils l'enveloppèrent dans son drap sale et sortirent le cadavre puant de la pièce.

Je repensai au mur. Les trous m'apparaissaient de plus en plus comme des prises tentantes. Mais où irais-je ? Que ferais-je ? J'étais prisonnier non seulement à Bakirkoy mais dans tout le pays. J'avais besoin d'un passeport, d'amis qui pourraient m'aider une fois dehors. Mais je serais délivré des sarcasmes d'Ibrahim dont le petit sourire satisfait m'était insupportable. J'étouffais parmi tous ces fous. La crasse, la puanteur, les poux, les cris et les délires, le regard vide de ces hommes idiots m'enfonçaient dans le désespoir. Ibrahim ne cessait de me répéter que j'étais un rebut d'usine et je commençais à le croire.

Puis, un jour, à l'aube, alors que je marchais autour du pilier, me vint à l'esprit une réponse imparable à fournir à Ibrahim.

Il vint me retrouver après le petit déjeuner.

— Tu ne crois toujours pas que tu es une mauvaise

machine ? Tu verras. Tu finiras pas te rendre à cette évidence. Tu sauras bientôt.

— Ibrahim, lui dis-je, je sais déjà. Je sais que tu es une machine ratée. C'est pour cela qu'ils te gardent ici. Je sais, ajoutai-je en baissant la voix, parce que je travaille à l'usine. Je fabrique les machines et je suis là pour vous surveiller...

Ibrahim me regarda fixement puis quitta mon lit et s'éloigna rapidement.

CHAPITRE 10

Je me réveillai plein d'impatience. C'était le dix-septième jour de mon séjour à Bakirkoy et les médecins devaient prendre une décision à cette date ; je savais qu'ils n'avaient pas été dupes et qu'ils me renverraient en prison.

Des soldats vinrent me chercher et me conduisirent jusqu'à Sagmalcilar. J'avais hâte de retrouver mon *kogus* : si je devais être enfermé, je voulais l'être avec mes amis.

Dès mon arrivée, je fus accueilli par le sifflement bien connu de Popeye.

— Salut, Willie, cria-t-il. Alors, comment c'était chez les fous ? Ça c'est bien passé ? Ne me dis pas que tu es sain d'esprit !

Je me mis à rire.

— Impossible de fuir, n'est-ce pas ? me demanda-t-il en baissant la voix.

— J'aurais probablement pu m'évader mais qu'aurais-je fait ensuite ?

— Que veux-tu dire ?

— Où serais-je allé ? J'étais en pyjama !

— Pauvre Willie, me dit-il en me tendant une tasse de thé.

— Berk ! De la vraie pisse d'âne ! m'écriai-je après en avoir avalé une gorgée.

— C'est toujours Ziat qui s'en occupe, que veux-tu ! Allez, viens faire un volley.

— Attends. Je veux dire bonjour à tout le monde. Où est Charles ?

— En haut. Il fait ses bagages.

— Il fait ses bagages ?

— Oui. Il est transféré dans une prison sur une île.

Je montai le retrouver. Charles était penché au-dessus de son lit, occupé à trier une pile de livres.

— Salut, Charles.

— Salut, Willie. Alors, quoi de neuf ? Comment c'était ?

— *Sula bula*. Qu'est-ce que c'est que cette histoire d'île ?

— Imrali, dit-il en me désignant la mer de Marmara sur une carte. J'ai demandé à y être transféré depuis des mois. Le consul est venu me faire remplir un formulaire. Il m'a dit que je pourrais obtenir ce transfert puisque les Turcs l'acceptaient lorsque la peine était approuvée par le tribunal d'Ankara. Puis je n'en ai plus entendu parler pendant longtemps et je pensais que c'était refusé. Et tout d'un coup, j'ai obtenu l'autorisation. Je partirai la semaine prochaine, je pense.

— Pourquoi veux-tu aller là-bas ?

— Pour travailler. Il y a une conserverie de fruits et légumes. Je vais passer mon temps au soleil.

— Vas-tu retrouver d'autres Américains ?

— Je ne sais pas, répondit Charles en haussant les épaules. Je ne pense pas qu'il y aura d'autres étrangers, mais ça m'est égal. J'ai besoin de bouger et de sortir de ce trou.

— J'espère que ça te plaira.

— Tu penseras à moi à Noël prochain : si vous avez des tartes aux fruits, tu te diras que c'est moi qui ai mis les fruits en boîte.

Noël prochain ! J'espérais bien ne plus être ici ! Je perdis toute ma bonne humeur. J'étais toujours en prison et mon plan avait échoué.

[*]

Je me dirigeai vers l'odeur de Gastro. Max et moi tentâmes d'analyser mon expérience à Bakirkoy. Il me dit que j'avais sans doute fait une erreur dans la façon dont je m'étais adressé aux médecins : en répondant à leurs questions, je leur avais montré que j'étais parfaitement sain d'esprit, qu'il n'y avait aucune nécessité de rédiger un rapport psychiatrique sur moi.

— J'aurais dû escalader le mur, dis-je.

— Quel mur ?

— Celui qui était situé à l'ouest. On pouvait l'escalader très facilement.

— A l'ouest, murmura Max. Heureusement que tu ne l'as pas fait.

— Pourquoi ?

— C'est le mur qui sépare de la section 12, celle des drogués. J'y ai passé un certain temps. Tu serais passé des fous chez les toxicos !

Emin ouvrit ma cellule et m'apporta une lettre arrivée pendant mon absence. Sa seule vue me réchauffa le cœur et je regardai longuement l'enveloppe avant de l'ouvrir. Puis je m'assis sur un banc et la lus plusieurs fois.

« Ta lettre m'a beaucoup aidée dans une période difficile, écrivait Lillian. La fin d'un mariage, même s'il n'a pas été très heureux, cause toujours un terrible sentiment d'échec. Tu m'as aidé à voir clair en moi, à retrouver mon esprit d'aventure. »

Lillian avait quitté son emploi à Harvard et s'était jointe à un groupe d'escalade qui partait pour la Colombie britannique. J'étais heureux qu'au moins l'un de nous deux puisse profiter de l'extérieur. Peut-être à travers ses lettres, pourrais-je sortir de cet enfer.

Mais ma plus grande surprise à mon retour dans la prison fut de retrouver Weber, le prisonnier allemand encore plus vantard que Popeye. Weber se pavanait en maître du *kogus*, muni d'une sacoche d'électricien garnie d'outils en tous genres. Popeye m'apprit que Weber avait obtenu un emploi d'aide-plombier et d'aide-électricien et que personne ne savait comment il s'était débrouillé pour l'avoir car les Turcs n'aimaient guère faire travailler les étrangers. Désormais, Weber sortait tous les jours du *kogus* et se vantait d'être très bien vu par le directeur de la prison.

Ce prisonnier était certes insupportable mais sans doute pas aussi stupide qu'il voulait bien le paraître. Ce Weber avait sûrement quelque chose derrière la tête.

***

Quelques jours avant le départ de Charles pour Imrali, sa petite amie Mary Ann vint le voir des États-Unis. Elle arriva à la prison en compagnie de Willard Johnson, du consulat. Charles me demanda d'occuper Johnson pendant qu'il était avec Mary Ann à l'autre bout de la table, dans le parloir. Mary Ann était très belle, avec sa peau très blanche et ses longs cheveux bruns, et je ne pouvais m'empêcher de la regarder tout en bombardant Johnson de questions.

— Que s'est-il passé ? demandai-je sur un ton irrité. Pourquoi n'avez-vous pas appelé le psychiatre ? Pourquoi ne m'avez-vous pas aidé ? Voulez-vous me voir pourrir dans cette prison toute ma vie ?

Willard était de toute évidence très gêné. Il était du genre intellectuel bien-pensant mais mal à l'aise en la compagnie de prisonniers ; il aurait été plus à sa place dans un club de New York ou à la Bourse.

— Une minute, Billy. Ce n'est pas si simple, me dit-il en rougissant.

— Vous ne voulez pas m'aider ? Vous vous moquez de moi ?

— Ce n'est pas si simple, Billy. Le médecin voulait que je certifie que vous ne chercheriez pas à vous évader. Ils voulaient vous faire transférer dans une section ouverte.

— Et alors ?

— Eh bien, comment pouvions-nous leur donner cette assurance ? Comment être sûr que vous ne tenteriez pas de vous évader ?

— Je ne l'aurais pas fait.

Willard me regarda d'un air entendu. Je décidai de changer de sujet.

— J'ai besoin de quelques bricoles, de cigarettes notamment.

— Vous vous êtes mis à fumer ?

— Difficile de faire autrement ici.

— Bien. Une cartouche de cigarettes.

— Et du chocolat.

— C'est tout ?

Je vis que Mary Ann avait glissé sa main sous la table et caressait doucement la cuisse de Charles.

— Euh... Oui... Il me faut une brosse à dents.

— Une brosse à dents ?

— Oui... Et... du savon.

— D'accord, dit Willard. Et vous, Charles, avez-vous besoin de quelque chose ?

— Non, dit Charles en sursautant.

— Qu'en est-il de mon procès ? demandai-je. Cela fait six mois que je suis ici et je ne connais toujours pas la durée de ma peine.

— Le tribunal est maintenant en possession du rapport établi par les médecins de Bakirkoy. Vous passerez en jugement le 31 mai.

— Décideront-ils de ma peine à ce moment ?

— Je pense que oui.

Le bras de Mary Ann s'agitait de plus en plus.

— Quelle peine vais-je avoir ? demandai-je à Willard.

— Je ne crois pas que ce sera énorme, me dit-il. Trente mois peut-être. Cinq ans au plus.

Les yeux de Charles étaient clos.

— C'est énorme pour moi.

— Je comprends. Mais ce n'est pas une lourde peine pour un trafic de haschich. Qu'en pensez-vous, Charles ? dit-il en se tournant vers lui.

— Euh, oui, dit Charles en sursautant. Oui, Imrali est un très bel endroit.

Le consul eut l'air gêné. Mary Ann eut un sourire timide et remit sa main sur la table.

**

Après le triste épisode de Bakirkoy qui avait détruit mon équilibre, j'eus du mal à me réadapter à la vie de la prison. Le yoga et la méditation m'aidèrent un peu, mais je réagissais de plus en plus violemment aux tensions du *kogus*. Charles m'offrit son dictionnaire turc-anglais et je décidai d'apprendre la langue pour pouvoir communiquer avec les gardiens. Mais mes capacités de concentration avaient baissé ; je fumais de plus en plus, à la fois du tabac et du haschich, et j'avais de plus en plus besoin de ces drogues pour rester calme. Ziat était toujours le principal fournisseur de haschich du *kogus* mais pratiquait des prix exorbitants. Je découvris un jour que Max pouvait avoir, par l'intermédiaire de son ami électricien, du hasch meilleur et moins cher.

Le soir du départ de Charles pour Imrali, Popeye, Max et moi eûmes un moment de déprime. Max alla immédiatement chercher une demi-plaquette de haschich qu'il avait dissimulée près des toilettes. Il la brisa en petits morceaux et confectionna plusieurs joints, tout en écoutant Popeye pérorer sur les possibilités de révolution en Turquie : si un nouveau gouvernement venait au pouvoir, disait-il, peut-être déclarerait-il une amnistie générale.

J'entendis soudain la porte du *kogus* s'ouvrir. Quelqu'un descendit d'un pas régulier et appela : « Eskilet ! » Cela voulait dire « squelette » en turc, et c'était le surnom de Max.

Max n'avait aucune envie de voir les gardiens arriver dans sa cellule. Il se hâta de sortir dans le couloir ; pendant ce temps, Popeye et moi jetâmes le haschich dans les toilettes, et nous nous glissâmes dans nos cellules. Tout à coup, j'entendis Max hurler. Me précipitant au bout du couloir, je vis que les deux gardiens lui tordaient un bras par-derrière. Arief le fouilla et découvrit du haschich sur lui. Les gardiens traînèrent Max jusqu'à la cave. Je vis qu'Arief murmurait quelque chose à Ziat, qui arbora un sourire satisfait.

Max revint quelques jours plus tard, boitant légèrement. Il avait les poignets bandés et ne portait plus de lunettes. Il me raconta ce qui s'était passé. Ils l'avaient emmené en bas, l'avaient battu pendant plusieurs minutes puis étaient allés chercher Hamid. Pendant leur absence, Max avait brisé ses lunettes et avait utilisé les morceaux de verre pour s'ouvrir les veines, forçant ainsi les gardiens à le conduire au *revere*, l'infirmerie de la prison, au lieu de continuer à le battre.

— C'est Ziat qui t'a dénoncé, lui dis-je.

— Oui, je sais. Le salaud ! Mais j'ai appris quelque chose dans cette histoire.

— Quoi donc ?

— Il y a toutes sortes de drogues à l'infirmerie, me confia-t-il dans l'oreille.

Arne se passionnait pour les cartes astrologiques, et il calcula celles de tous les occupants du *kogus*. Il ne fut pas du tout surpris de découvrir que j'étais Bélier. C'était le signe le plus courant en prison : les Béliers avaient en effet tendance à agir avec impétuosité. C'était tout à fait moi.

Tous les matins, en allant acheter une tasse de thé à Ziat, je ne pouvais m'empêcher de penser que c'était lui qui avait vendu Max. Je me demandais pourquoi cet affreux petit Jordanien tenait toujours ce commerce du thé, qui était censé revenir à un nouveau prisonnier tous les mois. Certains d'entre nous n'avaient pas besoin de ce job car nous recevions une aide de nos familles, mais d'autres n'avaient aucun contact avec l'extérieur et avaient besoin d'argent. Un jour donc où j'étais particulièrement de mauvaise humeur, j'écrivis au directeur de la prison, me plaignant de ce que Ziat était l'ami d'Emin, qu'il achetait pour rester responsable de la vente du thé, empêchant ainsi les autres prisonniers d'accéder à ce petit travail. J'allai voir Weber, qui me semblait parler couramment turc, et lui demandai de traduire ma pétition. Mais Weber refusa d'être mêlé à cette histoire : il était devenu contremaître à la prison et ne voulait pas prendre de risques.

Max fit donc tout ce qu'il put pour traduire ma lettre, que je tentai de faire signer par le plus de prisonniers possible.

Bien entendu, Ziat eut aussitôt vent de la chose. J'étais en train d'en parler avec Arne lorsqu'il m'aborda.

— Personne ne signera, me dit-il sur un ton furieux. Tu perds ton temps.

Sans réfléchir, je le saisis par le collet et le jetai dans la cour.

— Je me moque de ce qui va se passer mais nous allons régler cette histoire tous les deux, lui criai-je. Je vais te fracasser la tête, mon salaud.

— D'accord, me dit-il calmement. D'homme à homme. Allons-y tout de suite. Mais je te préviens, quoi qu'il arrive, dès que ce sera fini, j'irai chercher les gardiens et ils te casseront en deux.

— C'est une affaire entre toi et moi. Les gardiens n'ont rien à voir là-dedans.

— D'accord. On verra.

Je réfléchis alors un instant : Ziat avait des relations, et notamment Arief et son bâton !

— Si tu ne m'embêtes plus, je te laisse tranquille, me proposa-t-il calmement. D'accord ?

— Mais tu m'embêtes tout le temps. Tu fais un thé dégueulasse. Tu as causé des ennuis à mon ami Max.

— Je te laisserai tranquille, et tes amis aussi. Et je te ferai un thé spécial. Vivons comme des frères. Il ne faut pas être l'un contre l'autre ici.

J'avais envie de le gifler, de lui faire payer ce qu'il avait fait à Max. Mais je me dis qu'une bagarre ne ferait qu'aggraver la situation et pris la seule décision raisonnable.

— Bien, dis-je en desserrant mon poing. Tu me fous la paix, et j'en ferai autant.

***

Un matin, le bruit courut que l'un des membres de la mafia turque venait d'arriver parmi nous.

Il s'appelait Memet Mirza, se dandinait avec insolence, comme Hamid, et avait déjà une solide réputation malgré ses vingt ans. Son père et son oncle étaient des chefs de la pègre, et Memet avait déjà deux meurtres à son actif. S'il avait été un Turc ordinaire, on l'aurait probablement pendu pour ses crimes. Mais comme c'était un *kapidiye*, il allait purger une peine de dix-huit mois tout au plus. Pendant les premiers jours qui suivirent son arrivée, tous les prisonniers s'écartaient poliment sur son passage. Ziat était mort de peur à l'idée qu'il avait peut-être un jour donné l'un des amis de Memet. Mais ce dernier se contentait d'arpenter les couloirs comme un ours affamé.

Un jour, Popeye et moi étions en haut occupés à déchiffrer le journal *Hurriyet*, avides de nouvelles d'une révolution éventuelle, lorsque nous entendîmes un cri dans la cour. Memet défiait Peter et Ibo, deux étrangers que je ne connaissais guère mais dont je savais qu'ils étaient très bon amis.

Memet était peut-être un très bon tueur mais il était assez faible lorsqu'il n'avait que ses poings. Ibo le frappa au flanc ; Memet se pencha, et Peter lui donna un coup de poing au visage. Memet essaya alors de les saisir tous les deux pour les serrer l'un contre l'autre comme un ours. Peter et Ibo réussirent à se dégager. Ils regagnèrent leurs cellules et se cachèrent dans leurs lits jusqu'à ce que Memet retrouve une humeur plus civilisée.

Un peu plus tard, Popeye et moi le revîmes dans la cuisine où il vint prendre une tasse de thé. Popeye sifflota et me fit un clin d'œil : le truand portait des lunettes fumées pour dissimuler un énorme œil au beurre noir.

***

Je jetai ce soir-là un coup d'œil dans la cellule de Max. Il était plongé dans la lecture d'un livre et je faillis le laisser tranquille lorsque je remarquai qu'il tenait l'ouvrage à l'envers.

— Max, que fais-tu ? Tu es complètement défoncé !

Il sursauta puis, me reconnaissant, mit un doigt sur sa bouche.

— Chut, Willie. Viens ici.

Je vis alors le titre du livre : c'était *Par-delà le bien et le mal*, de Nietzsche. Max étudiait la couverture avec soin.

— J'ai reçu ce livre aujourd'hui, me dit-il en se dirigeant vers son casier. Tiens, aide-moi à soulever mon casier, s'il te plaît.

Je parvins à le pencher en arrière. Max chercha quelque chose dessous. Il en sortit un morceau de lame de rasoir. Nous nous assîmes sur son lit, le livre caché entre nous, et Max découpa soigneusement la page collée sur la couverture. Entre les deux épaisseurs, de petits paquets de feuilles d'aluminium étaient dissimulés. Max les posa sur le lit pour les ouvrir et parcourut la lettre qui les accompagnait.

— Ça, c'est du hasch... Ça, de l'herbe. Voici les amphés. Et la morphine ! Et ça, c'est l'acide... Tu en veux ?

— Non.

Je savais que le hasch et la marijuana étaient inoffensifs mais je redoutais le LSD.

Max m'en glissa une pastille dans la main.

— Garde-le, me dit-il. On ne sait jamais.

Je regagnai ma cellule et glissai le minuscule paquet dans la reliure de mon journal. Puis je me rendis dans la cellule de Popeye pour une partie de poker.

Il m'apprit qu'une bombe avait explosé à l'ambassade américaine, que des soldats armés maintenaient l'ordre dans les rues, que les anarchistes avaient déclaré la guerre au gouvernement turc. Les militaires avaient apparemment pris le pouvoir et imposé le couvre-feu sur tout le territoire.

Nous étions heureux de ce changement de gouvernement qui était pour nous l'espoir d'une amnistie. Mais cela ne fit qu'amener des prisonniers anarchistes. Il en arrivait tous les jours et la direction de Sagmalcilar voulait séparer les chefs politiques. Or, le seul *kogus* où les cellules étaient individuelles était celui des étrangers.

Un matin, nous entendîmes un grand brouhaha en bas. Les gardiens nous dirent de nous dépêcher : nous étions transférés dans un autre *kogus*. Là encore, je me rendis compte de l'avantage que j'avais eu au moment où je le perdis. Je n'avais plus l'intimité d'une cellule individuelle : nous étions maintenant alignés dans un dortoir où quarante-huit lits étaient entassés au premier étage d'un bâtiment dont, curieusement, le rez-de-chaussée était vide.

Je me précipitai sur un lit dans un coin, pour pouvoir m'adosser au mur, et je choisis une couchette supérieure pour me ménager un minimum d'intimité. Popeye s'installa en dessous de moi en critiquant la nouvelle installation. Certains prisonniers délimitèrent leur endroit en faisant tomber un drap depuis la couchette supérieure sur la leur.

Le dortoir avait été occupé précédemment par des Turcs et il était parfaitement dégoûtant. Le sol était jonché d'ordures en tous genres : des guenilles, des mégots traînaient partout. La fumée avait décoloré les murs. Certaines fenêtres étaient cassées ; les autres n'avaient pas été nettoyées depuis des mois. Le bourrage de coton des matelas traînait çà et là. Et l'odeur était insupportable. Les toilettes puantes, situées au fond de la pièce, me rappelaient tristement Bakirkoy.

Nous avions une nouvelle cour que nous partagions avec un *kogus* de prisonniers turcs, qui nous surprirent. Vêtus en costume cravate, la plupart jouaient au volley-ball ou se promenaient tranquillement au soleil.

— Des *kapidiye*, me dit Max.

Memet parut terriblement affecté. Je compris qu'il avait honte de montrer son œil au beurre noir aux autres *kapidiye*.

— Salut, boxeur, plaisanta Popeye. Alors, le dur, on a un beau marron à l'œil !

Nous nous étions tous forgés une routine en prison et toute perturbation était extrêmement gênante. Maintenant que tout était bouleversé, l'air était chargé d'électricité.

Dès le lendemain matin, je tentai de retrouver mes habitudes. Je me levai tôt, fis mon yoga tout seul en bas pendant que Ziat préparait son thé plus loin. Puis je sortis dans la cour où j'observai les jeux d'ombres sur ces murs qui ne m'étaient pas encore familiers.

Je tournai la tête en entendant des cris qui venaient de la cuisine. Des détenus criaient et se disputaient ; une cavalcade s'ensuivit, puis ce fut à nouveau le calme. Avec précaution, pour ne pas me faire remarquer, je rentrai.

Deux types tiraient Popeye vers la porte du *kogus* tandis qu'un gardien demandait qu'on apporte une civière. Le tee-shirt de Popeye était maculé de sang ; il semblait conscient mais traumatisé. Je retournai dans la cuisine pendant qu'on le transportait. Des hommes étaient attablés en silence ; d'autres mangeaient. L'une des tables était couverte de sang.

— Que s'est-il passé ? demandai-je.

— C'est Memet, me dit l'un d'entre eux. Il a poignardé Popeye par-derrière.

— Où est-il ?

— Dans la cour.

— Quoi ? Personne n'a réagi ?

— Que pouvions-nous faire ?

La colère me monta à la tête.

— Mais ce n'est pas possible ! Vous allez laisser les Turcs nous tuer un par un ! Il fallait lui sauter dessus, lui lancer quelque chose à la tête ! Comment avez-vous pu rester là à manger tranquillement ?

Arne tenta de me calmer, mais je l'écartai violemment. Je n'étais peut-être pas fou à Bakirkoy mais je l'étais maintenant. Memet faisait les cent pas dans la cour, les mains dans les poches. Il était entouré de certains de ses amis *kapidiye*.

— *Deli !* lui criai-je de l'autre bout de la cour (« fou ! »). *Ipnay !* (« pédé ! »).

Je cherchais les insultes les plus graves que je connaissais, frustré de ne pas en avoir appris davantage.

Memet me regarda fixement. Nul ne pouvait traiter un Turc de pédé et s'en tirer à bon compte. Mais lorsque le Turc en question se trouvait être un *kapidiye* très fier de lui et entouré de ses amis, c'était encore plus grave. Emin tenta de me calmer mais, d'un geste, je le fis tomber. Memet avait arrêté de faire les cent pas et il se tourna vers moi.

— Gaffe Willie, me dit Arne derrière moi, il a toujours son couteau.

Cela n'aiderait pas Popeye si je me faisais découper en morceaux. Il me fallait un bâton, ou n'importe quelle autre arme.

Memet s'avança vers moi, le couteau pointé dans ma direction. Soudain des bras costauds me saisirent par-derrière et me jetèrent contre le mur. J'aperçus alors Hamid qui me gifla de toutes ses forces, me faisant rebondir contre le mur. La douleur me fit voir trente-six chandelles. Hamid hurla un ordre à Emin et aux gardiens ; ceux-ci firent rentrer tous les étrangers dans le *kogus,* qui fut fermé à clé. L'après-midi, nous fûmes transférés dans un autre *kogus* en dortoir tout près du quartier des enfants. Nous devions cette fois partager la cour avec les jeunes prisonniers.

Mamur, le sous-directeur, donna des ordres très stricts : plus de Turcs dans le *kogus* des étrangers ; Emin partit donc. Necdet, un Syrien qui avait un haut niveau d'instruction et qui parlait plusieurs langues, fut chargé de notre *kogus*. Il purgeait une peine de douze ans et demi pour avoir espionné l'armée turque. C'était le seul prisonnier parmi nous à n'avoir rien à cacher, à n'être intéressé ni par la drogue ni par le sexe. Il ne jouait même pas aux cartes.

Le souvenir des coups de Hamid était très douloureux. J'étais inquiet pour Popeye, mais Max arriva très vite avec des nouvelles fraîches.

— Necdet vient du dispensaire, me dit-il. Il paraît que Popeye va s'en sortir. Ils sont sûrs de le sauver.

Je m'assis sur le bord de mon lit, soulagé. Max examina mon visage enflé.

— Ce Hamid est un animal mais il t'a fait une faveur aujourd'hui.

— Que racontes-tu ?

— Il t'a sauvé la vie. Ne t'en rends-tu pas compte ?

Je fermai les yeux et repensai au couteau de Memet.

***

Le tribunal. Encore une séance incompréhensible pour moi. Mon sort se décidait devant moi, sans que je comprenne ce qui se disait, sans que je puisse parler. Yesil me fit signe de me lever. Le juge prononça solennellement le mot *dort* : quatre.

— Quatre ans et deux mois, me dit Yesil. Pour possession de haschich. C'est bien, car le procureur voulait vous inculper aussi de trafic de drogue.

Cinquante mois ! J'obtiendrais un tiers de remise de peine pour bonne conduite. Il me resterait donc trente-trois mois et dix jours. Je serais donc libre le 17 juillet 1973, dans plus de deux ans.

J'étais épouvanté, pris de nausée lorsque les gardiens me remirent les menottes. Je me terrai dans un silence figé pendant le trajet d'Istanbul à Sagmalcilar.

Arief me fouilla de fond en comble, puis un gardien me traîna jusqu'au *kogus* des étrangers, dans lequel il me poussa.

La lourde porte métallique se referma derrière moi.

CHAPITRE 11

Les jours s'écoulèrent lentement. Un été entier derrière les barreaux.

Charles m'écrivit d'Imrali : il semblait très heureux de terminer sa peine sur l'île. Il avait le droit de nager à l'heure du déjeuner, et il pouvait se promener dans l'île tous les vendredis ; il disait que la nourriture était bonne et que, puisqu'il mettait des fruits et des légumes en boîte toute la journée, il en mangeait à volonté. Sa lettre me fit réfléchir.

— Max, que penses-tu d'Imrali ?

— Je suppose que c'est bien lorsqu'on aime travailler, me dit-il.

— Je veux parler de la possibilité de s'en évader.

— Écoute, c'est à trente kilomètres de la côte. Et même si tu y arrives, tu es toujours en Turquie. Que feras-tu alors ? Non, tu seras mieux à Imros.

Imros était une prison installée sur une île au large de la côte occidentale de la Turquie, dans la mer Égée. Certaines îles grecques étaient à moins de quinze kilomètres de là. Imros avait la réputation d'être une prison « ouverte », mais je ne pourrais probablement pas y être transféré suffisamment vite pour que l'évasion en vaille encore la peine.

Max et moi nous mîmes à faire toutes sortes de projets d'évasion fous. Il était parfois incapable de parler mais, en d'autres occasions, je le sentais prêt à tenter quelque chose. Il me fixa à travers ses épaisses lunettes, se plaignant que le Gastro le rendît aveugle ; il me dit qu'il voudrait bien avoir un peu de morphine pour changer. Lorsqu'il sortit une carte de Turquie devant moi, je compris qu'il me faisait vraiment confiance.

Il me surprit une autre fois lorsqu'il tira quelques dessins cachés dans un tas de lettres.

— Les plans de la prison, m'annonça-t-il naturellement.

— Comment te les es-tu procurés ?

— Il y avait un Autrichien ici qui était architecte. Il avait aidé les Turcs à reconstruire certaines parties de la prison. Il m'a permis de copier les plans.

Nous les étudiâmes de près. L'escalier en colimaçon qui descendait ne nous menait à rien. Il y aurait encore trop de soldats et de balles entre nous et la liberté. Par contre, si nous parvenions à grimper sur le toit du *kogus*, il y avait peut-être une chance. Nous pourrions traverser la prison par les toits et sauter de l'autre côté. Mais il nous faudrait une corde. Et puis, comment pourrions-nous grimper sur le toit ?

Nous finîmes par accepter à contrecœur l'idée que l'évasion de Sagmalcilar était presque impossible. Les sentinelles étaient armées de mitraillettes et représentaient le danger le plus sérieux. Je copiai néanmoins les plans de la prison, que je gardai avec mes papiers secrets.

Nous décidâmes alors de mettre au point le plan « acide ». Ce plan prévoyait de demander notre transfert à Kars, une prison située à l'autre extrémité du pays, près de la frontière orientale. Cela nécessiterait un voyage de deux jours en train pour nous deux et nos quatre gardiens. Max avait toujours le LSD qu'il avait caché dans *Par-delà le bien et le mal* et j'en avais un peu, dissimulé dans la reliure de mon journal. Si nous parvenions à en introduire dans la nourriture ou dans la boisson des soldats, nous pourrions probablement nous évader. Il n'y aurait ainsi aucune violence. Le seul problème était qu'il nous faudrait attendre le soir pour tenter notre chance et que, étant sans doute partis de la prison le matin, nous serions alors au centre de la Turquie avec la mer Noire au nord et l'URSS à l'est. Je ne pouvais de toute façon pas être transféré tant que les autorités de la prison n'auraient pas reçu mon *tastik*, le papier officiel du tribunal d'Ankara entérinant ma peine. Le plan « acide » resta en réserve et je fis une copie de la carte.

Max rêvait d'aller à l'hôpital pour tenter de s'en évader. Je repensai à Bakirkoy, convaincu que, si j'y retournais, je pourrais cette fois m'en échapper. Mais quel que soit le projet d'évasion, nous nous heurtions toujours au même problème : une fois à l'extérieur, nous serions toujours en Turquie. Et nous n'avions pas d'amis dans ce pays. J'eus alors l'idée de demander à Patrick d'être mon contact extérieur. Il penserait au *Comte de Monte-Cristo* et adorerait ce projet.

***

Max me traduisit un article de journal : un jeune hippie britannique avait été arrêté alors qu'il tentait de vendre vingt-six kilos de haschich à trois policiers en civil. Je jetai un coup d'œil sur la photo. Il avait de longs cheveux bruns qui lui tombaient sur les épaules. Il avait fait, avec sa mère, un long voyage en camionnette qui l'avait conduit d'Inde à Istanbul. Sur la photo, le hippie était accompagné de son singe, baptisé Beano.

Il s'appelait Timothy Davie et avait quatorze ans. Il arriva dans notre *kogus* quelques jours plus tard alors qu'il était déjà une célébrité. Necdet essaya de lui indiquer les règles essentielles du lieu mais une horde de prisonniers lubriques firent immédiatement cercle autour de lui. L'un d'entre eux lui demanda si son singe aimait le hasch.

— Bon, ça va, ça va, dit-il. Foutez-moi la paix une minute.

Ce garçon était étonnant ; à quatorze ans, il savait déjà ne pas se laisser faire. Il me dit qu'il avait appris le yoga en Inde ; je lui prêtai quelques livres et nous devînmes amis.

Le procès de Timothy eut lieu quelques semaines après son arrivée. Le procureur demanda une peine de quinze ans, mais la presse britannique se saisit de l'affaire ; ses compatriotes furent choqués d'apprendre qu'un garçon de quatorze ans allait passer des années en prison avec des criminels confirmés, comme moi.

— *Mektup !* cria-t-on.

Le courrier.

— Timmy, appela le gardien. Timothy !

— Zut ! marmonna-t-il. Encore une saloperie de bible. Pourquoi m'envoient-ils tous des bibles ?

— Pour protéger ta moralité, lui dis-je.

— Pourquoi ne m'envoient-ils pas plutôt des livres de science-fiction ?

***

La porte du *kogus* s'ouvrit un matin : je reconnus immédiatement le sifflement et descendis l'escalier en trombe.

— Popeye !

Il me sourit et me tapa sur l'épaule.

— Regarde, me dit-il en soulevant son pull.

Il avait une cicatrice en bas du dos et une autre plus haut, près du cou, ainsi qu'une blessure tout près du cœur.

— Tu as eu de la chance. J'espère que tu le sais.

Popeye se contenta de siffler.

**

Nous apprîmes un jour que les gardiens avaient « contrôlé » l'un des quartiers ; ils avaient remarqué des traces fraîches dans la boue près de l'égout, avaient creusé et avaient trouvé un fusil, des couteaux, des masses de pilules et un grand sabre de samouraï. La direction décida alors de boucher tous les égouts des cours avec du ciment. Deux jours plus tard, une énorme grue arriva dans la cour, où les toilettes furent remplacées par une sorte de cabine en béton. Tous les occupants du *kogus* eurent la surprise de découvrir que Weber supervisait l'équipe chargée de l'exécution des travaux.

Je passai des heures dans la cour ce jour-là à l'observer. En le voyant donner des ordres en turc aux ouvriers, je me dis qu'un prisonnier ne pouvait être plus puissant.

Les travaux durèrent plusieurs jours. Puis un après-midi, je remarquai que Weber n'était pas à son poste habituel en haut du mur. Il ne réapparut pas non plus pour l'appel ce soir-là. Le lendemain enfin, Necdet nous annonça que Weber s'était évadé. Il avait dit au directeur qu'il devait aller chercher des matériaux en ville, ce qu'il avait déjà fait à maintes occasions, et ce dernier n'avait donné l'alerte qu'au bout de plusieurs heures. Une voiture et un passeport étaient sans doute prêts pour lui quelque part, et il avait probablement atteint la frontière grecque au moment où le directeur commençait à se douter de quelque chose.

Weber nous avait donc tous roulés et avait mené son plan dès son arrivée dans notre *kogus* ; il avait pris soin d'être détesté de nous tous pour que nous le laissions tranquille et avait tout fait pour acquérir la confiance du directeur. La fuite devenait alors un jeu d'enfant.

Cette histoire me faisait crever de jalousie.

**

Le 2 août, trois centième jour de mon incarcération, j'étais assis tranquillement dans ma cellule, pensant à Lillian qui devait être en Colombie britannique à escalader les merveilleuses montagnes de cette région. J'espérais qu'elle pensait à moi et qu'elle sentait ma présence à ses côtés, lorsque je fus tout à coup pris d'une tristesse, d'une inquiétude que je ne comprenais pas.

Plusieurs semaines plus tard, je reçus une lettre de Lily qui me disait être dans un hôpital de Salt Lake City : elle avait glissé au cours d'une escalade au sommet d'un glacier et s'était enfoncé son pic dans la joue droite, juste sous l'œil. L'accident était survenu le 2 août.

On l'avait transportée en avion à Salt Lake City où elle avait subi une opération de chirurgie esthétique. Elle m'assurait dans sa lettre que tout serait rentré dans l'ordre pour la date de nos retrouvailles.

**

Les jours passaient, tristes et monotones. Puis un jour, Willard Johnson, du consulat, vint me voir.

— Il semble que vous allez être rejugé, me dit-il d'un air soucieux.

— Que voulez-vous dire ?

— Le procureur a fait appel *a minima*. La Haute Cour d'Ankara demande donc que votre affaire repasse en jugement.

— Que va-t-il donc se passer ?

— Rien du tout, probablement. Vous allez repasser devant le même tribunal et le même juge. Vous lui étiez sympathique et il vous redonnera sans doute la même peine.

— Et si le procureur fait appel à nouveau ?

— Cela n'aura aucune importance : lorsqu'un tribunal donne deux fois la même peine, la Haute Cour l'accepte.

Je regagnai le *kogus*, effaré. Tous les prisonniers racontaient des histoires horribles sur la justice turque. J'avais déjà du mal à accepter une peine de cinquante mois et je savais que je ne supporterais pas un mois de plus.

J'eus un sommeil agité toute la semaine. Un cauchemar revenait toutes les nuits. J'étais debout dans la cour et Weber donnait aux conducteurs de bulldozers l'ordre de pousser les murs sur moi. La pierre grise se rapprochait de moi jusqu'à m'écraser la poitrine... Je m'éveillais alors, trempé de sueur et tremblant.

**

Une nouvelle visite. Peut-être Willard avec d'autres nouvelles ? Mais le gardien me poussa dans le parloir des avocats.

— Johann ! Mon salaud ! Qu'est-ce que tu fous là ?

— Salut Billy ! J'ai une surprise pour toi. Je vais m'installer ici.

— Où donc ?

— A Istanbul. J'ai trouvé un travail dans un hôtel et je viendrai te voir de temps en temps, dit-il en me donnant des tablettes de chocolat et des cigarettes pour tout le *kogus*. Billy, poursuivit-il, je voudrais te présenter madame Kelibek. Elle est avocate.

Elle me serra la main. Elle devait avoir une cinquantaine d'années et avait dû être une très belle femme.

— Elle peut t'aider, Billy, me dit Johann à voix basse.

— Peut-elle me faire entrer à Bakirkoy ?

Johann traduisit ma question. Je n'eus aucun mal à comprendre la réponse : elle voulait quatre mille livres, environ trois cents dollars.

— Peut-elle me le garantir ? demandai-je.

Johann me fit signe que oui.

— Alors dis-lui que je peux me débrouiller pour l'argent. Mais elle n'aura rien tant que je serai ici. Je paierai après, d'accord ?

Johann traduisit ma réponse. Madame Kelibek accepta ma proposition.

— Johann, peux-tu me procurer des vêtements et une voiture ?

— Je ferai tout ce que je peux pour te sortir d'ici, me dit-il en m'entourant chaleureusement de son bras.

— Bien. Il me faudra quelque temps pour rassembler la somme. Je vais écrire à mon père dès aujourd'hui.

Je lui donnai quelques nouvelles des copains et Johann promit de venir me voir la semaine suivante. Dès son départ, j'écrivis à mes parents en tentant de tromper la censure par des expressions à double sens, parlant de « voies possibles » et de trains qui y circulaient. L'un s'appelait « Omnibus légal », que je prendrais si je ne pouvais faire autrement mais qui était très lent et dont le conducteur était peu digne de confiance. L'autre train s'appelait *Midnight Express*, « l'Express de minuit » : il était rapide, bien que plus dangereux, mais quelqu'un m'attendrait à la gare. Je précisai que ce train coûtait cher et qu'il me faudrait quinze cents dollars pour couvrir les frais de voyage.

Le 6 décembre 1976, mon affaire repassa en jugement. Malgré les propos rassurants de Beyaz, de Siya et de Yesil, j'étais inquiet. Je savais que je mourrais s'ils allongeaient ma peine d'un seul jour. Mais le juge, qui était le même que lors du jugement précédent, me condamna à la même peine pour la même faute : quatre ans et deux mois pour possession de haschich. Le même procureur souleva alors la même objection. Beyaz m'expliqua, par l'intermédiaire de Yesil, qu'il n'y aurait aucun problème : maintenant que le tribunal local avait confirmé ma peine, Ankara ne pourrait que l'entériner, il en était sûr.

Encore dix-neuf mois de prison ; c'étaient dix-neuf mois de trop.

J'attendais la réponse familiale avec impatience, rêvant de liberté. Un peu d'argent pour me faire transférer à Bakirkoy, pour l'escalade du mur. Et Johann m'attendrait de l'autre côté avec une voiture qui me conduirait en Grèce. Je n'avais besoin que d'un petit coup de main.

Je reçus enfin une lettre de mon père, pleine de souffrance et d'angoisse.

« Ta mère et moi avons retourné cette solution dans tous les sens. Cela m'arrache le cœur mais je dois te dire que nous avons conclu que dix-neuf mois de prison ne valaient pas la peine de prendre le risque de se faire tuer. Nous avons pris cette décision par amour et nous prions pour que ce soit la bonne. Nous devons te dire non. »

Je me sentis abandonné par ma propre famille. Jetant la lettre sur mon lit, je passai l'après-midi à arpenter la cour en fumant cigarette sur cigarette.

Puis je la relus et compris que je ne pouvais leur en vouloir ; ils m'aimaient et voulaient me protéger.

J'écrivis alors à Patrick.

CHAPITRE 12

J'avais vu Patrick pour la dernière fois le jour où il était venu me rendre visite à Milwaukee, juste avant que j'abandonne mes études. Petit, barbu, vêtu d'un jeans et d'une chemise à carreaux, il portait un petit chapeau, et une sacoche en toile en bandoulière. Ses yeux brillaient.

Depuis plus d'un an, je lui écrivais pour le convaincre d'adhérer à un club spécial que j'avais fondé avec cinq ou six copains de Marquette. Notre passe-temps favori était un jeu un peu particulier qui avait lieu au zoo de la ville.

Lorsque nous y arrivâmes ce jour-là, l'endroit était presque désert.

— C'est là ? demanda Patrick.

— Ouais.

Il contempla la fosse des rhinocéros. Deux énormes bêtes étaient allongées au soleil dans un coin. Une troisième se frottait contre le mur de pierre.

Patrick se mit à rire, grimpa sur le mur, jeta un dernier coup d'œil aux animaux, puis sauta dans la fosse et courut jusqu'au milieu.

Les rhinocéros restèrent immobiles. Patrick s'arrêta un instant et me regarda en souriant, puis tendit les mains vers eux.

Les oreilles d'un gros mâle s'agitèrent alors. En un éclair, il était debout sur ses pattes ; il fit trembler le sol en courant.

Patrick avait toujours été champion de course à l'école. Cela lui permit de prendre une vingtaine de mètres d'avance sur le rhinocéros. Il escalada le mur en cherchant des prises. Ses jambes se balancèrent un moment dans le vide puis il retomba dans la fosse.

J'étais épouvanté : le jeu n'était plus du tout amusant, et je pensai que c'était une façon vraiment stupide de mourir.

Patrick reprit de l'élan et regrimpa le long du mur avec l'agilité d'un lézard. Le rhinocéros s'arrêta derrière lui en grognant, si près de lui qu'il aurait pu le saisir par la corne. Mais il ne voulut pas tenter sa chance une seconde fois et, en veillant à ne pas tomber dans la fosse des éléphants de l'autre côté, il escalada le mur et sauta par-dessus. Une fois sain et sauf, il m'attrapa par le bras et fut pris d'un fou rire nerveux. Nous quittâmes le zoo en courant pour échapper au personnel de sécurité.

Patrick passa quelques jours à l'université avec moi, cette fois-là. Puis il partit en stop vers l'ouest, avec le projet d'aller faire fortune en Alaska, comme Jack London.

J'avais moi-même choisi d'aller plutôt vers l'est dans ma découverte du monde, et nous décidâmes de nous retrouver au bord du Loch Ness un an plus tard pour faire le point sur nos expériences respectives.

La rencontre dut bien évidemment être reportée. Cependant quelque deux ans plus tard, Patrick réapparut. Cette visite n'était pas le fruit du hasard. Il arriva à Sagmalcilar avec Willard Johnson, ce qui lui permit, puisqu'il était accompagné d'une personnalité officielle, d'être dans la même pièce que moi. Je pus ainsi lui serrer longuement la main. Mais je ne me résolus pas à parler de nos plans devant Johnson, dont je n'étais pas complètement sûr.

Patrick me parla de choses et d'autres tandis que Johnson se tenait à l'autre bout de la pièce, écoutant d'une oreille distraite notre conversation.

— J'ai trouvé du travail, me dit mon ami.

— Tu plaisantes ! Toi ? Où ?

— Chez John Deere, une usine de tracteurs. C'est à Mannheim, en Allemagne.

— J'ai du mal à t'imaginer dans une usine de tracteurs !

— Moi aussi, dit Patrick en riant. J'espère supporter cela pendant six mois. Mr. Franklin sera probablement en forme à ce moment-là. Je l'amènerai avec moi lors de ma prochaine visite. As-tu besoin de quelque chose ?

— Un Magnum 45... Et trois chargeurs pleins.

Willard se raidit puis comprit que c'était une plaisanterie et se mit à rire.

— Non, non, ça va, mais je suppose qu'il me faudra des chaussures dans six mois. Je voudrais des tennis pour jouer au volley pendant l'été, avec des semelles solides. Mr. Franklin te conseillera.

Patrick nota cela sur son calepin.

— Peux-tu m'envoyer quelques livres, s'il te plaît ? demandai-je. Je suis en train de lire *Mort dans l'après-midi* en ce moment.

— Ah ! Hemingway ! *Le vieil homme et la mer ! Mort dans l'après-midi !* Halloween au bord du Loch Ness et...

— Et tout ce qu'il me faut, c'est un grand bateau et une étoile pour me guider, conclus-je.

Willard ne comprenait plus rien.

— Aimes-tu Masefield ? demandai-je.

— Oui.

— Et Alfred Noyes, bien qu'il soit anglais ?

— Ah ! *L'homme des grands chemins,* s'exclama Patrick. Excusez-nous, Mr. Johnson. Nous sommes tous deux des étudiants en littérature. Nous nous laissons emporter par nos passions et nos origines irlandaises. Nos ancêtres étaient gaéliques, vous savez. Ils avaient coutume de se déshabiller avant la bataille et de se colorer le corps en bleu avec des mûres sauvages. Ça devait être un spectacle effrayant, ces hommes bleus hurlants qui dévalaient la colline, tout nus avec leurs barbes et leurs gourdins.

Willard Johnson s'agitait sur sa chaise. Patrick se tourna alors vers moi.

— Comment va ta vie sentimentale ? me demanda-t-il tout de go.

— Elle pourrait être meilleure, dis-je en riant. A quoi penses-tu ?

— Toujours la même histoire. J'ai rencontré cette femme extraordinaire à Mannheim. C'est vraiment dommage qu'elle soit mariée.

— Est-elle allemande ?

— Non, américaine. Son mari est sergent dans l'armée.

— Tu sais bien les choisir ! Fais attention, quand même !

— Ça rend la vie plus excitante !

Lorsque Patrick quitta Istanbul, notre plan était tout à fait au point. Il devait travailler dans l'usine de tracteurs jusqu'à ce qu'il économise environ mille cinq cents dollars. Puis il reviendrait en Turquie et me ferait parvenir de l'argent dans les semelles des tennis que je lui avais demandées. Il pourrait alors m'attendre à l'extérieur de Bakirkoy.

132

Ce plan lui convenait tout à fait : il adorait s'imaginer dans le rôle de l'un des mousquetaires.

**

Les lettres de Lillian ponctuaient de plus en plus fréquemment ma longue attente. Elle se remettait lentement de son accident de montagne et rentra chez elle pour récupérer. Je vis, grâce à la photo qu'elle m'envoya, que ses cicatrices n'étaient guère plus visibles que des grains de beauté.

Elle alla rendre visite à mes parents. Elle tenta même de leur expliquer que les gens pouvaient adopter des modes de vie différents. Elle m'écrivit qu'elle avait apprécié cette visite et qu'elle allait reprendre sa route pour la côte ouest et les montagnes.

J'avais appris à attendre le soir pour lire ses lettres, préférant le calme nocturne à l'agitation fiévreuse de la journée. Là, lorsque le *kogus* était endormi, je sortais ses lettres, qui me procuraient une étrange émotion.

**

Ce fut une période d'attente. Patrick m'écrivait souvent : l'argent, disait-il, s'accumulait lentement. Mais je devinais aisément qu'une partie de son salaire était consacrée à distraire la femme du sergent. J'espérais qu'il était prudent et qu'il n'allait pas se faire casser la figure une seconde fois.

**

Timmy fut condamné à quinze ans de prison et la presse anglaise titra sur les barbares turcs. Les journaux turcs dénoncèrent aussitôt les tentatives des Britanniques pour influencer le cours de la justice de la république turque, et le Premier ministre Demirel annula sa visite à Londres.

— Tout ça, c'est de la merde, me dit Timmy. Ce n'est pas ça qui va me sortir d'ici.

Cette publicité permit tout de même à Timmy de voir sa peine réduite à sept ans, en comptant la remise pour bonne conduite.

— C'est encore trop, me dit-il.

Je ne pouvais le contredire.

J'étais las d'attendre, à ne rien faire d'autre qu'à penser à mon évasion. Un après-midi, Popeye, Arne et moi étions occupés à gagner cent livres à trois Français au volley lorsque, en sautant, je me pris le pied dans le filet. J'eus alors une idée.

Le lendemain matin, des grognements retentirent dans la cour lorsque les prisonniers découvrirent que le filet avait disparu pendant la nuit. Personne ne comprenait ce qui s'était passé. Deux gardiens fouillèrent dans nos casiers. La colère montait.

Necdet, qui remplaçait Emin, tenta d'apaiser les esprits. Il ne se préoccupait guère du filet, soulagé presque de voir ainsi cesser les parties de volley qui se terminaient souvent par des bagarres. Il finit par convaincre les mécontents de jouer au football.

J'avais dissimulé le filet dans un ballot de linge sale et, nuit après nuit, je défaisais le fil de nylon que je tressai ensuite en une corde épaisse pouvant supporter le poids de mon corps.

Je travaillais lentement, sursautant au moindre bruit, sûr de me faire prendre si les gardiens procédaient à une fouille.

Mes amis ne comprenaient pas pourquoi je dormais tant pendant la journée. Mais j'étais pris d'une activité frénétique dès que la nuit tombait, désireux de mettre ma corde en sécurité au plus vite.

Lorsqu'elle fut enfin terminée, elle devait mesurer environ douze mètres. Je savais, par les plans des lieux, que je possédais, qu'il y avait une antenne au milieu du toit. Si j'arrivais à y grimper, je pourrais fixer la corde à l'antenne, la laisser tomber de l'autre côté du mur et m'en servir pour me laisser glisser à l'extérieur. J'espérais que cette corde me serait un jour utile.

Mais je ne pouvais pas la cacher dans mon casier, trop exposé aux fouilles. Une nuit donc, je me rendis près des toilettes tout au bout du *kogus* et je dissimulai la corde dans un casier inutilisé.

Quelques jours plus tard, je reçus une lettre d'Allemagne : Patrick était presque prêt.

CHAPITRE 13

Le 15 juin 1972

Patrick,
Je suis en train de lire Mort dans l'après-midi *de Hemingway.*
Il parle de l'instant de vérité. Je suppose que tu recevras ma lettre
lundi après-midi : ce sera l'instant de vérité et le moment de
troquer tes vieilles sandales contre des bottes de sept lieues.

Avec tout l'exercice physique que je fais ici, j'ai besoin d'une
nouvelle paire de tennis, pointure quarante-deux. Je pense que
tu devrais les acheter avant de rencontrer Mr. Franklin. Je serais
ravi de te voir ici avec un membre du consulat. J'espère que tu
pourras prendre contact avec lui un mardi et venir le mercredi.
N'oublie pas de m'apporter l'International Herald Tribune car je
reçois peu de nouvelles ici. Et surtout n'oublie pas la semelle
intérieure de Mr. Franklin pour mes tennis : cela en fera des
bottes de sept lieues. Après, la vie sera une fête. Je t'attends avec
impatience.

Les bouddhistes parlent d'une semelle intérieure et j'y crois
fermement. Mais celle-ci doit être collée par une main experte
qui saura transformer la substance en mazuma. Peut-être est-ce
un langage trop métaphorique pour toi. J'ai la faiblesse de croire
que non, que tu vois la lumière. J'attends ta présence.

Tempus fugit. Toi et ton ami aussi, j'espère.

Je reste,
Willie.

∗[∗]∗

J'appuyais sur l'accélérateur. Le vent soulevait le bord de mon chapeau. Sur ma grosse moto, je parcourais les routes familières. Lillian me souriait. Mon père me cria d'être prudent.

Soudain je tirai le guidon en arrière : la moto se souleva au-dessus du sol. Nous glissions sur la cime des arbres. Le vent était tombé et l'air était paisible. Je sentis que je pouvais diriger la moto en me penchant d'un côté ou de l'autre. Lily se déshabilla et m'attendit, nue, dans l'herbe. Mon père me cria un dernier conseil. Mais je ne trouvais pas Patrick. J'avais beau chercher partout, je ne le voyais pas...

Je m'éveillai. C'était mardi. Patrick avait-il reçu ma lettre ? Aurais-je de ses nouvelles ? Quand pourrais-je partir ? J'étouffais. Il fallait que je m'en aille.

Je sortis faire les cent pas dans la cour, attendant que quelque chose se passe. Par beau temps, il m'était encore plus pénible de regarder ce mur hideux. La ration de pain du matin fut distribuée, puis le courrier. Rien pour moi. Je fis une tentative pour écrire à Lily ; je voulais lui dire combien ses lettres comptaient pour moi, combien elle me manquait. Mais je ne pus me concentrer. J'étais trop près du départ.

— Vilyom. Vilyom Haïe-yes.

Un télégramme pour moi ! Je déchirai l'enveloppe jaune et lus :

NORTH BABYLON - 20 JUIN 1972.
DESTINATAIRE : WILLIAM HAYES
SAGMALCILAR CEZA EVI
ISTANBUL - TURQUIE
PATRICK DÉCÉDÉ. LETTRE SUIT.
SIGNÉ : PAPA.

J'eus l'impression de me briser, de ne plus pouvoir penser. J'eus le souffle coupé comme si j'avais reçu un coup dans l'estomac. Je restai debout dans le couloir à regarder le télégramme puis sortis dans la cour et m'assis contre le mur. Patrick était mort ! Mais pourquoi ? Comment ? Je relevai mes jambes contre moi, je passai mes bras autour de mes genoux, et je me mis à pleurer.

Deux jours plus tard, une lettre de mon père m'arriva par

courrier spécial. Il me dit qu'il avait appris la nouvelle par le père de Patrick : la police allemande l'avait trouvé mort sur son lit, la poitrine transpercée par une baïonnette. Parmi ses affaires personnelles, on avait retrouvé un billet de train pour Istanbul et, dans sa boîte aux lettres, ma lettre datée du 15 juin. La police allemande avait conclu à une mort par suicide et Patrick était déjà enterré lorsque son père arriva à Mannheim.

Ses parents étaient effondrés et se sentaient terriblement coupables. Je choisis quelques-unes des lettres les plus récentes que Patrick m'avait adressées et les leur envoyai : je voulais qu'ils voient combien leur fils était actif et fort juste avant sa mort, combien il était heureux aussi. J'étais sûr qu'il ne s'était pas tué à coup de baïonnette. Ses parents demandèrent une enquête et la police allemande finit par transformer le suicide en homicide, sans preuve ni indices. L'affaire resta donc en suspens, mais le père de Patrick voulait trouver le meurtrier lui-même et venger son fils.

Je décidai de ne pas parler de l'aventure de mon ami avec la femme du sergent : cela ne le ramènerait pas à la vie.

Je n'avais jamais été aussi déprimé ; la perte de la liberté était peu, comparée à la perte de mon ami. Je continuai néanmoins tous les matins à aller marcher en bas de l'escalier en attendant qu'un gardien vienne ouvrir la porte menant à la cour. J'étais toujours décidé à m'évader, même si je n'avais aucune idée des moyens que j'emploierais. Il me fallait de l'argent pour retourner à Bakirkoy et, pour cela, je n'avais plus que mes parents. Il fallait que je persuade mon père de changer d'avis.

Je lui écrivis dans un langage codé, expliquant que j'avais besoin d'au moins six portraits de Benjamin Franklin. Il me répondit rapidement qu'il viendrait me voir quelques semaines plus tard, qu'il parlerait avec Mr. Franklin à la banque avant de venir. La mort de Patrick l'avait probablement ébranlé, lui aussi.

J'écrivis à Johann à son hôtel pour lui proposer de venir me voir. Il vint la semaine suivante et, au cours d'une conversation à mots couverts, je lui dis qu'il me fallait un chauffeur à la sortie de Bakirkoy. Johann m'assura qu'il serait content de me rendre ce service : il me suggéra de lui envoyer la date prévue de l'évasion sur une carte en langage codé.

Une fois de plus, mon projet reprenait forme.

Max me souhaita bonne chance lorsqu'il quitta le *kogus* : il avait en effet convaincu le médecin qu'il serait beaucoup mieux à l'infirmerie pendant quelque temps. Avec une bonne dose de Gastro et bien d'autres drogues, Max pourrait y supporter l'incarcération plus facilement.

Lillian, qui était maintenant complètement rétablie, m'écrivit qu'elle avait trouvé un travail pour l'hiver en Alaska, où elle devait s'occuper de chiens de traîneau. Nous pourrions ainsi partager une sorte de communion spirituelle ; pendant qu'elle nettoierait les niches des chiens, je traînerais dans Sagmalcilar.

Les semaines passèrent : je vivais dans une sorte de brouillard. La mort de Patrick me déprimait toujours autant. J'avais envie de retrouver mon calme et d'essayer de comprendre le « pourquoi » des choses ; je fis du yoga avec une ardeur encore plus grande qu'avant et passai des heures à méditer dans la cour.

Je fis un effort pour adopter le calme, la confiance et l'équilibre d'Arne. Son attitude détendue ne cessait de m'étonner. Au cours des interminables discussions que nous avions la nuit, Arne m'expliqua la philosophie qui le passionnait. Il avait lu les œuvres de Gurdjieff et d'Ouspensky. L'homme, disaient-ils, est fait de trois composantes : une composante intellectuelle, une émotionnelle et une physique. L'important, dans la vie, c'est de les maintenir en action simultanément ; si l'une est en perte de vitesse, tout s'arrête.

Arne toucha un point sensible : mon propre fonctionnement émotionnel semblait m'échapper totalement. Il m'aida à me reprendre en main : je lui dis que je me souvenais des bons et des mauvais moments de ma vie mais que tout le reste se perdait dans une grisaille informe. Selon Arne, cela prouvait que j'avais en quelque sorte perdu cette conscience des choses qui nous permet de vivre notre vie comme une succession d'expériences réelles.

Nous parlâmes longuement de religion : il me recommanda une série de livres publiés sous le titre *Christianisme mystique*. Il m'en prêta quelques-uns. Pour la première fois de ma vie, je réalisai que Jésus-Christ était un homme, un homme conscient de sa vie, un individu à part entière. Cela était très différent de ce que l'on m'avait enseigné dans mon enfance.

— Lorsque j'avais treize ans, racontai-je à Arne, un prêtre est venu à l'école pour parler avec nous. Malgré son langage châtié, nous comprîmes son message. Il nous dit en effet que si nous nous masturbions, nous irions en enfer. Mais il était impossible à notre âge de ne pas se masturber. Je me souviens que, lorsque je le faisais, j'étais pris de panique. Je pensais avoir commis un péché mortel.

— C'est triste, me dit Arne.

— Oui. J'ai fini par me persuader que ce prêtre n'avait aucun droit de nous dire que c'était un péché mortel alors que c'était si bon. Mais il nous disait aussi que c'était aussi grave de penser à se masturber que de le faire. Comment peut-on penser à autre chose lorsque l'on a treize ans ? Je me dis alors que, puisque c'était aussi grave d'y penser que de le faire, autant au moins avoir du plaisir et être coupable d'un péché qui en valait la peine !

— La vie sexuelle est fondamentale, dit Arne. Toute notre énergie vient de là, mais il faut la canaliser et ne pas la gâcher. Si cette vie sexuelle est trop pauvre ou au contraire trop abondante, l'équilibre est détruit, tout peut s'effondrer. Il faut maintenir les trois centres en équilibre. Ton centre intellectuel est sens dessus dessous, ajouta-t-il en me regardant dans les yeux. Tu le brouilles complètement, comme je l'ai fait.

— Pourquoi ?

— C'est à cause du hasch : cela te fait perdre conscience de la réalité.

Je repensai à ses propos. Je fumais du haschich depuis longtemps. Au cours de mes deux dernières années à l'université et pendant cette année passée à voyager, le haschich avait fait partie de ma vie quotidienne. Depuis que j'étais en prison, il était plus difficile de s'en procurer mais, grâce à Ziat et à quelques autres, j'en avais toujours eu assez régulièrement. Que se passerait-il si j'arrêtais complètement ? Je savais bien que je n'étais pas physiquement intoxiqué, mais je ressentirais un grand vide émotionnel. Tout bien considéré, le haschich était la cause de ma situation actuelle et ne pouvait que m'attirer d'autres ennuis.

— D'accord, dis-je à Arne après avoir réfléchi un moment, je ne te promets pas de m'arrêter définitivement. Mais je veux bien faire un essai.

— Tant que tu y es, suggéra Arne, arrête-toi donc aussi de fumer ces horribles cigarettes.

***

Une visite. Je me précipitai dans la salle et aperçus mon père accompagné de Willard Johnson. J'étais tellement occupé par mes projets d'évasion que je ne leur dis même pas bonjour.

— Papa ! As-tu vu Mr. Franklin ? Il faut que tu appelles mon copain Johann de ma part. Il faut que tu le voies et que tu discutes avec lui. Appelle aussi madame Kelibek et...

— Doucement, me dit mon père. Tu ne m'as même pas demandé des nouvelles de ta mère.

Il me força à m'asseoir et à parler de choses et d'autres. Je devinai, à son visage fatigué, qu'il m'avait trahi.

— Tu n'as pas vu Mr. Franklin, n'est-ce pas ?

Il me fit signe que non.

— Pourquoi, Papa ? dis-je en hurlant.

— J'en ai parlé avec un prêtre. Il pense que te donner cet argent, c'est t'envoyer à la mort. J'ai retourné la question dans tous les sens ; ta mère et moi avons beaucoup pleuré. Mais non, Billy, tu n'as plus qu'un an à passer ici. Il faut que tu y restes.

Je vis rouge et me mis à parler ouvertement, oubliant la présence de Willard.

— Papa, je te jure que je vais partir quand même. Je vais sortir d'ici d'une façon ou d'une autre. Avec ou sans ton aide.

— Billy, s'il te plaît, me supplia-t-il au bord des larmes, attends, je t'en prie. J'ai vu des responsables du Département d'État. Notre ambassadeur ici, Macomber, suit l'affaire de près. Il pense pouvoir persuader le gouvernement turc de te libérer rapidement.

— Pourquoi ne me l'as-tu pas dit plus tôt ?

— Je ne le sais que depuis deux jours.

— Ce n'est pas sûr ?

— Non.

— Papa, je connais bien les Turcs maintenant, dis-je après un instant de silence. Je ne leur fais absolument pas confiance. Ce pays n'a rien à voir avec les États-Unis.

— Au moins, tu apprécies notre pays maintenant !

— Ce n'est pas difficile après quelques années passées dans une prison fasciste.

— Excuse-moi, Billy. Je ne voulais pas te faire de peine.

Les yeux de mon père étaient embués de larmes. Willard se leva pour aller regarder par la fenêtre.

— Essaie de nous comprendre, poursuivit-il. Ta mère et

moi vivons un cauchemar depuis deux ans. Tu es notre aîné. Nous donnerions notre vie pour toi. Tout ce que nous voulons, c'est que tu aies une chance de recommencer à zéro. Tu peux faire quelque chose de ta vie, tu le sais bien, Billy. Plus qu'un an à attendre. Ce n'est pas très long. Prends patience. Nous serons là pour t'aider lorsque tu sortiras. Nous t'aimons, Billy...

Incapable de continuer, il s'essuya les yeux.

CHAPITRE 14

Le 20 novembre 1972.

Lily,
Que dire de ma solitude de la nuit ? Je me sens perdu dans le vide qui m'entoure.
Tu m'as demandé des nouvelles de ma vie sexuelle. Au cours de la première année, je ressentais d'étranges frustrations, je faisais des rêves agités et je me réveillais le matin trempé de sueur. Mais depuis un an, je suis totalement chaste, même dans mes rêves. C'est difficile à croire. Mais la vie est plus facile ainsi.
Maintenant, lorsque je regarde autour de moi, je sens une solitude omniprésente, mais je suis moins oppressé. Te parler me fait du bien. J'enferme le chagrin dans mon cœur pour le transformer, un jour, en rire. Plus j'aurai souffert et plus il faudra rire. D'autant plus que j'ai pris une décision au sujet de Patrick : puisqu'il n'est plus là, je rirai pour deux.

Bonne nuit, Lily.

Caresses.
Billy.

***

Le 10 décembre à l'aube, trois fourgonnettes franchirent la frontière syrienne pour pénétrer en Turquie. Elles furent arrêtées au poste frontière de Cilvegozu par les douaniers qui furent intrigués par ce jeune homme aux cheveux longs et les six belles Américaines qui l'accompagnaient. Ils leur offrirent poliment du thé pendant que l'un d'entre eux inspectait les véhicules. Ce dernier n'eut aucun mal à trouver le faux plafond qui, en s'écroulant, laissa tomber quantité de plaquettes de haschich. Les trois fourgonnettes furent fouillées de fond en comble. Les douaniers trouvèrent cent kilos de haschich, que les journaux turcs estimèrent à une valeur marchande de neuf cent cinquante mille dollars.

L'homme, Robert Hubbard, dit qu'il avait rencontré ces filles dans diverses villes d'Europe et du Moyen-Orient et qu'il les avait invitées à l'accompagner pour acheter « de la marchandise » pour son magasin de Munich. Il déclara que les filles étaient innocentes mais elles furent incarcérées avec lui à la prison d'Antakya, dans le sud de la Turquie, près de la côte de la Méditerranée.

Je suivis l'affaire de près dans la presse. Les filles étaient très belles et m'inspirèrent de la sympathie. Je me demandai si la publicité qui entourait cette histoire permettrait enfin de faire comprendre aux Américains qu'il était très grave de se faire arrêter avec du haschich en Turquie et que cela pouvait coûter plusieurs années d'emprisonnement.

Plus le temps passait, plus j'appréciais de ne plus fumer. La vie me semblait plus saine et je m'imposai un nouveau programme d'exercices physiques qui m'aidaient à rester calme. Je me sentais plus prêt que jamais à affronter le monde extérieur. Mais j'avais aussi la force d'accepter mon sort, quel qu'il fût.

Juste avant Noël, un nouveau prisonnier américain arriva dans le *kogus*. Il avait déjà passé trois ans à la prison d'Izmir, sur la côte de la mer Égée. Joey Mazarott avait de grands yeux bleus perçants et une longue moustache noire ; il portait au bras droit un tatouage représentant un petit diable rouge avec sa fourche. Joey était un type sympathique qui purgeait une peine de dix ans pour avoir été pris avec quatre-vingts kilos de haschich.

— As-tu du hasch ? me demanda-t-il en se réveillant au bout de deux jours passés à dormir.

Je fis non de la tête.

— Il me faut du hasch.

Je lui parlai de Ziat, que Joey alla voir immédiatement. Il revint dans la cellule avec un petit morceau de haschich et une mine renfrognée.

143

— Beaucoup trop cher, marmonna-t-il. Il faut que je trouve un fournisseur moins cher.

Nous fîmes une partie de poker ce soir-là ; Joey misa son costume, que je gagnai aisément. Je n'aurais donc plus à emprunter des vêtements pour ma prochaine comparution devant la justice.

Joey et Ziat devinrent vite des ennemis mortels. Un jour, Joey et moi nous nous promenions dans la cour lorsque nous entendîmes un grand brouhaha. Ziat réprimandait violemment l'un des enfants qui l'avait bousculé et l'avait ainsi fait renverser un verre de thé qu'il apportait à l'un de ses clients. Plusieurs gosses suivirent alors Ziat dans notre *kogus* et se moquèrent de lui à travers la fenêtre. L'un d'entre eux alla même jusqu'à le traiter de « pédé ».

Ziat ressortit dans la cour comme un fou, et bouscula les enfants violemment. L'un d'eux tomba par terre ; Ziat lui donna un coup de pied dans le ventre. Un cri strident retentit alors du *kogus* des enfants : c'était Chabran, le chef des délinquants turcs, un colosse de quinze ans avec qui peu de prisonniers adultes voulaient se frotter. Chabran fonça sur Ziat et le plaqua au mur. Ziat hurla de douleur sous les coups. Le poing de Chabran tomba sur son ventre, son sexe, puis sur son œil. Necdet arriva enfin et les sépara, puis nous fit rentrer dans notre *kogus* et ferma la porte en laissant les enfants dans la cour. Mais Chabran, toujours fou de rage, brisa toutes les vitres des fenêtres en hurlant des jurons. Pas un gardien ne bougea. Necdet le laissa faire un moment avant de l'envoyer à l'infirmerie soigner ses mains en sang.

Puis il nous laissa ressortir dans la cour. Ziat retourna faire son thé. Mais les enfants continuaient à jeter des regards en coin à son intention en se moquant de lui sous cape.

Comme toujours, Necdet essaya de faire face avec logique à une situation qui échappait à toute raison. Il tenta de discuter avec un groupe d'enfants furieux et accusa l'un d'entre eux d'avoir craché sur Ziat par la fenêtre.

Joey se précipita sur lui.

— C'est ridicule, dit-il à Necdet. Ziat terrorise ces enfants, il les bat et il nous vole en nous vendant du thé transparent. Les enfants voulaient simplement se plaindre de son thé.

— Toi, cochon, la ferme, répliqua Ziat qui fut immédiatement sur les lieux.

Sans aucune hésitation, Joey lui envoya un coup de poing,

le faisant tomber au milieu des enfants fous de joie, devenant ainsi le héros des jeunes prisonniers.

**

Un autre nouveau arriva dans notre *kogus* : Jean-Claude Laroche attendait d'être extradé en France pour détournement de fonds. Cet homme âgé d'une quarantaine d'années était élégant mais, en dépit de son air plein de santé, il annonça à Necdet dès son arrivée qu'il était atteint d'une tuberculose. Après cela, il alla voir le médecin une fois par semaine, passant parfois la journée entière à l'infirmerie. Il recevait également de longues visites d'un certain Sagmir, qui était censé être un important avocat et avait la réputation d'être tout-puissant.

Un jour, Jean-Claude reçut la visite de Sagmir au moment où j'étais avec Willard. La femme de Jean-Claude était là également : c'était une petite Vietnamienne menue dont la peau veloutée me séduisit immédiatement.

Quatre ou cinq semaines plus tard, Jean-Claude annonça son transfert à l'hôpital qui se trouvait en face de la prison. Sa tuberculose, disait-il, s'était aggravée et il avait besoin d'un traitement spécial. Mais il avait toujours l'air aussi bien portant.

Dix jours après son transfert à l'hôpital, Jean-Claude s'évada, sans que personne ne sache vraiment comment il avait fait. Une semaine plus tard, Max vint me voir de l'infirmerie et me raconta tout. Selon ses amis *kapidiye*, l'évasion avait été préparée par Sagmir. Il était arrivé avec la femme de Jean-Claude, lors de sa première nuit à l'hôpital, avec un panier plein de nourriture. Le gardien, séduit par la jeune Vietnamienne, avait laissé Jean-Claude les retrouver.

Ce manège s'était reproduit tous les soirs : les gardiens attendaient la visite de la superbe jeune femme qui arrivait dans une Porsche étincelante. Un soir, Jean-Claude leur demanda s'il pouvait rester un moment seul avec son épouse. Mais pas dans la prison. Dans sa voiture. Il leur laissa dix mille livres en gage. Jean-Claude quitta ainsi la Turquie sans problème et Sagmir continua à se promener dans Istanbul au volant de la Porsche de son client.

**

145

Le froid affectif de la vie carcérale était pire que le froid effectif. La solitude était omniprésente, inévitable.

Le bain hebdomadaire était devenu pour moi plus que de simples ablutions. C'était l'occasion de toucher quelqu'un d'autre, d'être touché. Je savonnais les épaules d'Arne, il me frottait le dos. Je n'aurais jamais cru que les mains d'un homme sur mon corps me feraient un jour autant d'effet, et j'étais intrigué par ce plaisir.

Nous prîmes l'habitude de nous masser le soir. J'ôtais mon tee-shirt et je m'allongeais sur le lit d'Arne ; nous faisions tomber un drap de mon lit au-dessus sur le sien pour être plus tranquilles. Les longs doigts d'Arne massaient mes muscles fatigués avec tout le talent d'un Suédois. Il touchait un corps comme il touchait sa guitare : avec douceur, sur un rythme doux et régulier.

Un jour où j'avais encore plus que d'habitude l'impression d'être consumé par la souffrance et la solitude, je m'allongeai sur le lit d'Arne, la tête sur le côté, les yeux clos. Soudain ses mains cessèrent leur mouvement.

— Willie ? appela-t-il.

J'ouvris les yeux ; je vis qu'il avait une érection énorme.

Je me mis sur le dos. Il prit mon sexe dans ses mains et s'allongea sur le lit.

— Ce n'est pas grave, Willie, me dit-il. C'est de l'amour.

CHAPITRE 15

Le 21 janvier 1973.

Chers parents,

Voilà bien longtemps que nous attendons, n'est-ce pas ? Cette attente commence à peser lourdement sur mon système nerveux.

Un autre Américain est arrivé ici il y a quelques semaines. Il a passé trois ans à la prison d'Izmir auparavant et dit que c'est un endroit exceptionnel ; les locaux sont neufs et les étrangers, peu nombreux, sont traités avec beaucoup d'égards. Ils ont des chambres individuelles, peuvent se procurer de la nourriture de l'extérieur, reçoivent du lait et des yaourts en plus de leurs trois repas. On leur sert des œufs et du bacon pour le petit déjeuner, des céréales, des pommes de terre, des steaks ! Il y a aussi une bibliothèque pour les prisonniers qui ne travaillent pas. C'est un paradis si on compare cet endroit à Sagmalcilar.

J'ai donc pris un avocat pour me faire transférer à Izmir. Le seul problème est que je dois d'abord obtenir l'accord d'Ankara. J'ai eu l'occasion d'apprécier cet avocat ; il travaille bien. Il pense que mon affaire a été retardée à cause des difficultés actuelles du gouvernement, mais qu'il pourra m'obtenir cet accord sans problème. Pour cela, il demande six mille livres, à payer une fois que je serai à Izmir, ce qui me paraît correct.

Vous vous demandez peut-être pourquoi je veux changer d'avocat. La réponse est simple : les autres n'ont absolument rien fait pour moi. Ils n'ont même pas répondu à mes dernières lettres. J'ai donc décidé d'avoir quelqu'un à Ankara. Il ne me reste plus que six mois à passer ici. Mais si mon affaire n'est pas examinée à Ankara d'ici là, je ne pourrai pas être libéré. Peut-être avez-vous du mal à le croire, mais c'est vrai : cela s'est déjà produit. J'ai donc pris cet avocat pour que tout se passe au mieux.

Je considère cette décision comme une sorte de palier intermédiaire entre la folie d'une action irréfléchie et l'irresponsabilité de rester là assis à attendre les vicissitudes du hasard.

Les cent dollars sont arrivés. Merci beaucoup.

Baisers affectueux.
Billy.

***

Mon nouvel avocat était tout simplement Sagmir, qui avait fait un si beau travail pour Jean-Claude. Je savais qu'avec lui, Ankara approuverait ma peine dans des délais très brefs et que je pourrais très vite goûter à la bonne nourriture d'Izmir.

Je rêvais aussi avec délice à l'intimité d'une chambre individuelle pour les six derniers mois, tout en sachant que je regretterais Arne à qui j'enseignais maintenant le yoga.

Tous les matins, je me levais le premier et j'allais le réveiller. Nous prenions nos couvertures et descendions dans la salle du bas, qui était vide. Je faisais toujours quelques inspirations profondes devant la fenêtre. Arne souriait, silencieux. Bien équilibré sur les deux jambes, les mains jointes sous le menton, il se levait sur la pointe des pieds et tendait les bras au-dessus de la tête. Il faisait alors la « salutation au soleil », la première position de yoga de notre séance quotidienne. Je faisais de même et nous enchaînions alors une série de positions.

Arne s'arrêtait toujours au bout d'une heure. Je terminais après lui et nous restions assis en silence, en respirant doucement. Nos corps étaient détendus, nos esprits au repos.

Une prison, un monastère, un cloître, une cage... m'avait dit un jour Arne.

Je savais maintenant ce que cela voulait dire. Tout lieu pouvait devenir prison si l'on s'y laissait enfermer.

Parfois nous nous contentions de rester assis en silence. Parfois nous faisions l'amour.

148

Puis Ziat descendait bruyamment. Le moment magique du jour était alors terminé. Le monastère devenait une prison.

***

Les responsables turcs et britanniques tombèrent finalement d'accord sur le cas du jeune Timothy Davie : il devait être transféré dans une prison « ouverte » pour enfants située dans la banlieue d'Ankara.

— Ça sera un bol d'air, me dit Timothy en faisant ses bagages. Dans deux mois, ma mère me sortira de là.

— Bonne chance, Timmy. Tiens-toi tranquille. J'aurai de tes nouvelles par les journaux.

— Merci, Willie. Bonne chance à toi aussi. Salut.

***

Le 8 avril 1973, je déchirai une grande feuille du bloc que Willard m'avait apporté. J'y inscrivis des chiffres de cent à un et dessinai, avec des crayons de couleur empruntés à Arne, un grand arc-en-ciel à la place du dernier jour. Je scotchai ce papier sur la porte de mon casier et m'assis pour le contempler. Tous les jours désormais, je barrerais l'un des chiffres. Le 17 juillet, je devais être libéré.

J'avais presque oublié l'existence de cette corde dans mon casier. Les plans de la prison et la lime dissimulés dans mon journal ne me semblaient plus très utiles mais je décidai de ne pas m'en séparer. Je les donnerais à Popeye ou à Max avant de partir ; l'un des deux pourrait en faire bon usage.

Je reçus une gentille lettre de Lillian, d'Alaska : elle en avait fini avec les chiens de traîneau et parlait d'aller travailler en Suisse, où elle pourrait skier autant qu'elle le voudrait. Elle me proposait de me retrouver en été pour aller au Maroc. Je me vis en rêve allongé avec elle sur une plage, au soleil, puis étendu avec elle sur un lit, dans l'obscurité.

La vie devint un rêve. Je me regardais me lever, procéder aux diverses activités de la journée, me coucher. Je savais que bientôt je me réveillerais de ces trois années et que le monde s'ouvrirait à moi, libre et neuf. Cela me donnait la patience d'attendre quelques mois de plus.

***

L'incroyable nouvelle arriva par surprise : Arne rentrait chez lui ! Les gardiens vinrent le voir en lui disant de faire ses bagages.

— Arne, que se passe-t-il ? demandai-je, étonné.

— Ça y est, Willie ! Ils me transfèrent dans une prison suédoise. L'ambassadeur de mon pays le réclame depuis plus d'un an. Je n'arrive pas à y croire.

— Pourquoi ne m'en as-tu pas parlé ?

— Je n'en étais pas sûr, me dit-il en souriant. Je ne voulais pas en parler pour le cas où ça ne marcherait pas. Tu comprends ?

— Tout à fait. Mais c'est tellement soudain. Tu... Tu vas me manquer, tu sais.

— Oui, je sais, Willie. Toi aussi tu vas me manquer. Mais tout se passera bien. Tu n'en as plus pour très longtemps.

— Oui. Combien de temps penses-tu passer dans cette prison ?

— Vu les conditions de vie dans les prisons suédoises, les gens ne veulent plus partir, me dit-il en riant. Non, sérieusement, je pense qu'ils me relâcheront au bout de quelques mois.

Arne n'emporta pas grand-chose et donna presque tout. Sa guitare m'échut dans le partage.

— J'espère que tu en joueras correctement la prochaine fois que nous nous verrons, me dit-il.

Puis il termina ses bagages et fit le tour du *kogus* pour saluer tout le monde. Je l'attendais à la porte du couloir. Nos yeux étaient pleins de larmes.

— Souris, Willie.

— Oui, Arne.

Il me fit un signe de la main et disparut.

**

— Timmy s'est évadé, me dit un jour Necdet. Je l'ai entendu à la radio.

— Formidable ! Comment a-t-il fait ?

— Je ne sais pas. La radio a simplement annoncé qu'il avait quitté la prison la nuit dernière après l'appel. On n'a pas retrouvé sa trace depuis.

— C'est extraordinaire ! Je savais qu'il s'évaderait ! Ce gosse était vraiment très fort !

Pas assez fort, toutefois. Les nouvelles du soir racontèrent l'histoire à sensation de l'évasion et de la capture de Timothy Davie. Apparemment, sa mère et un ami avaient organisé l'évasion et attendaient Timmy à la sortie de cette prison à sécurité minimale. Ils le déguisèrent en fille et tentèrent de passer la frontière iranienne avec un faux passeport. Mais ce passeport figurait malheureusement sur une liste de documents volés et recherchés. La mère de Timmy et son ami purent franchir la frontière, mais Timmy fut pris.

Il fut envoyé dans une autre prison pour enfants à Izmir où, cette fois, les conditions de détention étaient extrêmement sévères.

**

Nous apprîmes peu après que quatre des filles emprisonnées au mois de décembre à Antakya venaient d'être libérées sous caution mais que les trois personnes qui conduisaient les fourgonnettes — Robert Hubbard, Kathy Zeng et Jo Ann McDaniel — étaient toujours à la prison d'Antakya. Hubbard maintenait que les filles étaient innocentes, mais en vain.

Les jours passaient lentement. Le jugement officiel, le *tastik*, n'était toujours pas arrivé. Dans les moments de déprime, cela m'inquiétait. Mais Sagmir s'occupait de moi et j'avais confiance en lui. Le 17 juillet serait la fête de la Libération.

L'été approchait. L'air se faisait plus doux. J'étais prêt à sortir et j'avais les idées très claires maintenant ; cela faisait en effet près de huit mois que je n'avais plus fumé de haschich.

Le 24 mai, dès mon réveil, je barrai au marqueur noir le chiffre 54 sur mon calendrier avant de descendre pour ma séance de yoga et de méditation. Après le petit déjeuner, j'eus la surprise d'être appelé au parloir.

Je me précipitai dans la grande salle en me demandant si j'allais enfin avoir confirmation de la date de ma sortie. Willard Johnson m'attendait, l'air bizarrement sombre.

— Asseyez-vous un instant, me dit-il. J'ai de mauvaises nouvelles.

— Il s'est passé quelque chose chez moi ? Un décès ?

Willard semblait avoir du mal à déglutir : il ne voulait de toute évidence pas me dire ce qu'il avait à m'annoncer.

— Nous venons d'apprendre que la Haute Cour d'Ankara à rejeté la peine demandée par le tribunal d'Istanbul. Un nouveau

procès doit avoir lieu ici et le procureur ne pourra que demander la peine décidée par Ankara.

— Qui est ?

— Ils demandent... Il parlait d'une voix hésitante. Ils demandent... la perpétuité.

— Donnez-moi une cigarette.

— Les avocats vont venir cette semaine, me dit Willard en
me tendant une Camel.

— Quand aura lieu le procès ?

— Début juillet. Mais rien ne s'y passera.

— Pourquoi ?

— Nous allons gagner du temps. Les avocats ont décidé de
ne pas se présenter ce jour-là. Il y aura un juge remplaçant pour
l'été ; il ne connaîtra pas le dossier et sera obligé d'ajourner
l'affaire jusqu'en septembre. Nous avons déjà parlé avec le juge
habituel : il fera la seule chose qu'il puisse légalement faire,
c'est-à-dire réduire la peine à trente ans.

Trente ans ! Willard se tut. Il n'y avait rien à dire.

— Avez-vous besoin de quelque chose ?

— Non.

Silence.

— Nous avons prévenu votre famille.

— Merci. Pouvons-nous faire appel ?

— Oui. Les avocats s'en chargeront, mais cela ne changera
rien. La Haute Cour est composée de trente-cinq juges ; vingt-
huit ont voté la perpétuité.

Je regagnai ma cellule dans un état second. Popeye vint me
voir pour me demander qui était mon visiteur.

— Willard Johnson, répondis-je.

— Que voulait-il ?

— Il avait des nouvelles pour moi.

— Que se passe-t-il ? Ça va ?

— Tu te souviens que je n'ai toujours pas reçu le jugement
officiel ? Eh bien, nous venons d'apprendre qu'Ankara a refusé
la peine de quatre ans. Il va y avoir un nouveau procès. Il est
certain à cent pour cent que j'aurai la perpétuité.

— Tu plaisantes ! Ce n'est pas possible !

— Johnson a déjà vu le juge : tout ce qu'il peut faire, c'est
réduire la peine à trente ans.

— Mon dieu !

— Donne-moi quelques cigarettes.

— Bien sûr... Willie, je ne sais pas quoi te dire, ajouta Popeye après un moment de silence. *Getchmis olsun*, mon frère. Que ce temps passe vite.

— Merci, Popeye.

Il me laissa seul. Son pessimisme avait largement été justifié. Trente ans !

Allongé sur mon lit, j'avais la gorge serrée comme dans un étau. Mes yeux se posèrent sur mon calendrier : d'un geste brusque, je le déchirai.

J'avais besoin d'air. Je passai la journée à arpenter la cour en fumant cigarette sur cigarette, sans adresser la parole à personne. On me laissa tranquille.

Je pensai à Lillian, à mes parents, à mon frère et à ma sœur. Je pensai à cette vie gâchée qui était la mienne, à cette existence passée à moisir dans ce trou, à l'écart du monde, avec ces gens que je ne supportais pas.

Puis soudain, je me souvins de la lime et de la corde qui étaient toujours dans mon casier. En un éclair, ce fut décidé. Mieux valait mourir que finir dans cette prison.

CHAPITRE 16

Le 30 mai 1973.

Monsieur le Sénateur Buckley,

Je m'appelle William Hayes. Je suis le père d'un jeune homme qui vient de passer ces trois dernières années dans une prison d'Istanbul, en Turquie. Un article exposant son cas était censé être publié dans le Newsday *du 30 mai : peut-être en aurez-vous pris connaissance au moment où vous lirez ma lettre.*

Je vous écris dans l'espoir que vous pourrez intervenir pour faire libérer mon fils. Je ne nie pas sa culpabilité et condamne l'usage de la drogue. Mais je trouve qu'une peine de trente ans de prison, peut-être plus selon la décision de la Haute Cour d'Ankara, est tout à fait injuste et déraisonnable. Mon fils ne transportait pas de drogue dure comme de l'héroïne ou de la cocaïne, mais du haschich dont l'utilisation, comme celle de la marijuana, sera peut-être autorisée dans notre pays dans un proche avenir.

Nous avions accepté la peine initiale qui lui avait été infligée. Mais toute prolongation de peine imposée par Ankara reviendrait à anéantir la vie d'un jeune homme dont la faute principale a été la bêtise et qui est déjà largement puni par ces trois années de prison. Et ma femme en mourrait.

Newsday *a eu la gentillesse de nous aider à faire connaître le cas de notre fils. Je vous demande simplement de considérer les faits, c'est-à-dire la disproportion entre le délit commis et le châtiment qui menace notre fils. J'ai la conviction qu'une inter-*

154

vention de votre part auprès des autorités turques sera de la plus grande utilité.

Je suis tout à fait conscient du fait que vous avez déjà un emploi du temps surchargé, mais je me permets néanmoins de solliciter votre attention. Tout père comprendra sans peine les motifs qui me poussent.

Je vous remercie par avance et vous adresse mes sincères salutations.

William B. Hayes.

La publicité faite autour de mon cas fut extraordinaire. Mon vieil ami Mark Derish écrivit une lettre à *Newsday*, le journal local de Long Island, pour expliquer ma situation. Un journaliste appela alors mes parents, qui finirent par renoncer à la version selon laquelle j'étais hospitalisé en Europe et racontèrent.la vérité. Il écrivit un long article exposant les faits et la peine qui me menaçait.

Certains des propos imprimés à mon sujet ne manquèrent pas de m'inquiéter cependant. Le journaliste en effet avait cité certaines de mes lettres à mes parents, notamment celle dans laquelle je leur annonçais que, si Ankara n'acceptait pas la peine de quatre ans, ils pouvaient s'attendre à une « réaction violente » de ma part. Mon père avait expliqué au journaliste que je tenterais certainement de m'évader et que je risquais de me faire tuer.

Je me demandais quel effet cela pourrait avoir sur les juges turcs. Je devais repasser en jugement pour trafic de drogue et je craignais que cette publicité n'irritât les juges qui, pour se venger, m'infligeraient la prison à perpétuité. J'espérais que mon père savait ce qu'il faisait.

Le tapage autour de mon cas se poursuivit pendant plusieurs semaines. Annabelle Kerins, journaliste à *Newsday*, apprit que la décision était essentiellement politique : le gouvernement Nixon venait de décider qu'il ne maintiendrait son aide extérieure à la Turquie que si la culture de l'opium y était interdite, ce qui avait déclenché la colère des fermiers turcs. Le gouvernement turc répliqua donc en renforçant les peines infligées aux trafiquants de drogue et ce « pour le maintien de l'ordre social international ». Dans mon cas donc, ils déclarèrent avoir pris la décision conformément aux « accords internationaux », ignorant par là-même que la peine maximale pour le trafic d'opium était de dix ans en Turquie.

Newsday me considéra comme « un pion sur l'échiquier international ». L'un des journalistes, Bob Greene, vint me rendre visite. Le journal me demanda d'envoyer mes impressions sur la vie carcérale. Voilà comment moi qui avais tant rêvé d'écrire et qui m'étais si souvent vu refuser mes écrits, je me retrouvai en train de rédiger des articles !

Mon père écrivit aux sénateurs James Buckley et Jacob Javits ainsi qu'à plusieurs députés. Tous promirent d'agir. Le sénateur Buckley évoqua même mon nom devant le Sénat dans sa demande d'intervention. Des lettres arrivèrent des quatre coins du pays, d'amis et d'inconnus tentant tous de me remonter le moral. Tous m'assuraient que notre gouvernement faisait son possible pour me sortir de là.

L'avocat spécialiste de droit criminel John Sutter, qui était chargé de la défense de certaines personnalités impliquées dans l'affaire du Watergate, m'offrit ses services gratuitement ; Michael Griffith, un avocat de Long Island, me proposa de venir me voir à l'occasion des vacances, qu'il devait passer en Grèce. Je ne lui dis pas que, s'il ne se pressait pas, il risquait fort de ne plus me trouver.

***

Sagmir avait peut-être aidé Jean-Claude à s'évader mais il ne faisait rien pour moi, prétendant que les tribunaux turcs ne voulaient pas perdre la face en réduisant ma peine après toute la publicité faite autour de mon cas. Mais il m'assura qu'il pouvait m'être utile autrement : il me dit en effet qu'avec une coquette somme d'argent, il pourrait persuader les responsables de la prison d'égarer mon dossier et qu'ainsi, il n'y aurait plus trace de moi après le 17 juillet. Il pouvait me faire passer en Grèce avant que les tribunaux aient découvert l'affaire. Et puisque, selon lui, cela serait une simple erreur de paperasse, personne ne prenait de risques.

Le prix de l'opération était de trente mille livres, soit deux mille dollars. Mais Sagmir insista pour que nous agissions avant que ma peine initiale ne soit transformée en une peine de trente ans. Je le prévins qu'il n'aurait pas un sou tant que je n'aurais pas franchi la frontière turque, ce qu'il accepta avec un large sourire.

***

J'écrivis à mon père pour le tenir au courant de la situation. Il me répondit que Mr. Franklin allait hypothéquer pour la seconde fois notre maison de North Babylon et qu'il viendrait me voir dès que possible.

Je faisais ma promenade habituelle dans la cour quelques jours plus tard lorsque l'on vint me chercher pour une visite. J'aperçus un jeune Américain de mon âge. C'était Michael Griffith, l'avocat de Long Island, pour qui je ressentis une sympathie immédiate.

Il m'apprit qu'à la suite de la publicité faite dans la presse autour de mon cas, le Département d'État envisageait de négocier mon transfert dans une prison américaine. Mais il ajouta que cela risquait de prendre du temps car les relations américano-turques n'étaient guère détendues en cette période.

Mike et moi parlâmes longuement ; nous avions grandi au même endroit et avions beaucoup de souvenirs communs. Comme moi, il avait été maître-nageur-sauveteur. Je lui dis combien la mer me manquait.

— Tiens bon, me répondit-il. Tu la reverras bientôt.

— D'accord.

— Il paraît que tu joues aussi au softball ?

— Oui, un peu.

— Alors, aucun problème : tu joueras avec moi dans le Broadway Show League de Central Park.

— Oui, j'aimerais bien jouer cet été.

— Pourquoi pas ? me dit Mike en riant. En tout cas, tu t'entraîneras avec nous pour la saison prochaine.

— D'accord. Dis bonjour de ma part à tout le monde là-bas. Et pense à moi lorsque tu seras au soleil en Grèce.

— D'accord. Tiens le coup : le meilleur est à venir.

**

J'eus beaucoup de plaisir à revoir mon père. Il était plus ridé qu'avant mais son corps était toujours aussi athlétique. Il m'apportait l'argent pour Sagmir mais il voulait d'abord me parler.

— Il y a un nouveau train qui est en route, me dit-il.

— Le spécial Transfert ?

— Oui. Mike et moi avons récemment parlé à la radio et à la télévision pour contraindre le Département d'État à intervenir. Mike pense que c'est possible.

Mon père suggéra de retarder les négociations avec Sagmir jusqu'à ce que l'affaire du spécial Transfert soit plus avancée, mais je lui rétorquai que je devais traiter avec Sagmir avant d'être rejugé. Nous prîmes donc la décision de voir ce que l'avocat turc pouvait faire pour moi.

Nous établîmes un plan très précis : mon père proposait de déposer trente mille livres au consulat américain. Il montrerait le reçu à Sagmir pour lui prouver que l'argent était bien là. Sagmir garderait le passeport de papa. C'est lorsque je serais dans l'avion pour les États-Unis que mon père rachèterait en quelque sorte son passeport pour trente mille livres.

J'attendis avec impatience des nouvelles de l'entrevue de mon père avec Sagmir. Il avait l'air soucieux lorsqu'il revint me voir le lendemain.

— Il a changé d'avis, m'expliqua-t-il. Il veut quinze mille livres tout de suite sous prétexte qu'il doit payer certaines personnes à Ankara dès maintenant.

J'avais tellement envie de sortir que j'étais prêt à le croire, mais je convins avec mon père que cette affaire était louche.

— Il cherche à nous avoir, finis-je par lui dire. Il est très riche et peut très bien avancer les quinze mille livres lui-même. Va lui dire qu'il les aura dès que j'aurai quitté le pays, et c'est tout.

Mon père revint le lendemain : je lus la réponse de Sagmir dans son regard triste et las.

— Je laisse l'argent à la banque, me dit-il avant de repartir. Si tu en as besoin, tu sais où il se trouve.

CHAPITRE 17

Après trois années de lutte, de soucis et de frais en honoraires d'avocats, je fus condamné à une peine de trente ans de prison. Le lundi 10 septembre 1973, des soldats me conduisirent, menottes aux poings, de la prison de Sagmalcilar à cette cave où, il y a bien longtemps, j'avais donné un spectacle de jonglage pour ne pas être battu. Il faisait chaud et les soldats transpiraient dans leurs uniformes de laine. Nous attendîmes là toute la matinée et une bonne partie de l'après-midi. Puis ils me conduisirent le long du couloir obscur vers la petite salle d'attente où je retrouvai mon nom gravé sur le mur parmi beaucoup d'autres.

Les couloirs du tribunal étaient déserts à cette heure-là. Seules des femmes de ménage, vêtues de noir, déambulaient.

La porte s'ouvrit. Nous pénétrâmes dans la salle d'audience. La cour était présidée comme avant par le même juge bienveillant, Rasih Cerikcioglu. Mais le procureur avait changé : cette fois, c'était un jeune homme. Le juge se tourna vers lui au moment où j'entrai pour lui dire quelque chose en turc. Mes progrès dans cette langue me permirent de comprendre qu'il lui avait dit : « Voici la personne dont je vous ai parlé. »

Un journaliste de *Newsday* était présent, ainsi que plusieurs étudiants en droit qui avaient suivi l'affaire. La même jeune fille en minijupe que j'avais déjà vue était là aussi.

Le juge expliqua en préambule qu'il ne pouvait aller à l'encontre de la décision d'Ankara et annonça que la loi turque prévoyait la prison à perpétuité pour un délit comme celui dont je m'étais rendu coupable. Avant de prononcer le verdict, il me demanda si j'avais une déclaration à faire.

Je me levai, en tentant de me tenir bien droit, et pris la parole en anglais, en parlant très lentement pour permettre à l'interprète de traduire correctement.

— J'ai la parole, mais que puis-je dire ? commençai-je. Lorsque j'aurai terminé, vous me condamnerez pour ma faute. Permettez-moi donc de vous demander qu'est-ce qu'une faute et quel châtiment mérite-t-elle ? Ce sont des questions très délicates dont les réponses varient d'un individu à l'autre, d'une période à l'autre, d'une société à l'autre. La justice en effet subit l'influence de la géographie, de la politique, de la religion. Ce qui était légal il y a vingt ans peut très bien être interdit aujourd'hui. Et ce qui est interdit aujourd'hui peut très bien être autorisé demain. Je ne dis pas que c'est bien ou mal. Je me contente de citer un état de fait...

« Je suis là debout devant vous, et ma vie est entre vos mains... mais vous ne savez absolument pas qui je suis. Cela n'a aucune importance. Je viens de passer trois ans en prison et si vous devez aujourd'hui me condamner à une peine plus longue encore, je ne pourrai être d'accord avec vous... Je ne pourrai que vous pardonner...

**

Le juge décida une suspension de séance de dix minutes. Puis il revint, accompagné de ses deux assistants en robe. Il tendit vers moi ses deux mains croisées.

— Nous sommes pieds et poings liés par la Cour suprême, dit-il.

Très lentement, il annonça le verdict en turc. Je compris les mots *muhabet :* perpétuité, et *otuz sena :* trente ans.

Au moment où l'interprète se tournait vers moi pour traduire ce qui venait d'être dit, le juge l'interrompit pour annoncer que la séance était levée.

— Je vous prie de traduire le verdict à l'extérieur. Je ne peux pas supporter cette situation et j'aurais préféré être à la retraite pour n'avoir pas à rendre ce verdict.

Les soldats me firent sortir. L'interprète m'informa alors de ma peine : la perpétuité réduite à trente ans. Je devais donc être libéré en l'an 2000. Avec la remise de peine pour bonne conduite, je pouvais espérer être libre le 7 octobre 1990 : dans dix-sept ans. J'aurais alors quarante-trois ans, et Lillian quarante-deux. La comète de Halley serait passée et repartie. Je

160

raterais quatre élections présidentielles et quatre Jeux olympiques. Mon père serait à la retraite, ma mère aurait les cheveux blancs. Mon frère et ma sœur seraient probablement mariés et parents d'enfants adolescents qui viendraient saluer leur vieil oncle à son retour de Turquie. J'aurais donc passé le meilleur de ma vie dans une prison turque.

— *Getchmis olsun*, me dit l'un des soldats. Que le temps s'écoule rapidement.

CHAPITRE 18

Joey et Popeye vinrent me voir un matin. Ils me racontèrent que Popeye s'était réveillé au milieu de la nuit pour aller aux toilettes et qu'il avait été alerté par un léger bruit. En regardant autour de lui, il avait aperçu Ziat occupé à démonter son énorme radio. Après un coup d'œil circulaire pour s'assurer que personne ne le regardait, Ziat avait glissé des billets à l'intérieur de l'appareil, remis le couvercle et reposé la radio sur son casier.

C'était donc là que Ziat cachait son argent ! Chacun pensait qu'il le dissimulait dans son casier à double verrou, mais le Jordanien avait été très rusé et cachait son pécule dans un endroit imprévu. Et, tout le monde le savait, Ziat avait beaucoup d'argent puisqu'il était le principal fournisseur de drogue du *kogus* et qu'il tirait des bénéfices confortables de la vente du thé.

Joey se réjouissait d'avance ; depuis le jour où il avait battu les enfants, Ziat était son pire ennemi.

— Je vais lui donner une bonne leçon, dit-il à voix basse. On va bien rigoler.

— Je ne participe pas, déclarai-je. Je ne veux pas m'en faire un ennemi.

— Allez ! tenta de me convaincre Popeye. Il sort le mois prochain. C'est la dernière occasion de l'avoir.

— Non, merci. Bonne chance.

Quelques nuits plus tard, alors que j'avais totalement oublié cette histoire, j'étais perdu dans l'un de mes fréquents rêves où je me trouvais avec Lillian, sentant presque sa caresse sur mon visage...

Mais je me rendis très vite compte que la main était rêche et brutale. Je la repoussai d'un geste mais une voix me fit : « Chut ».

J'ouvris les yeux et reconnus la moustache de Joey.

— Cache-moi ça, me dit-il. Il y en a un tiers pour toi.

Il me glissa un paquet dans la main et disparut. J'eus alors la surprise de découvrir une liasse de billets attachés par un élastique.

Le rêve laissait peu à peu place à la réalité. Lillian n'était plus à mes côtés et j'étais allongé, nu, sur mon lit, avec une énorme somme d'argent entre les mains.

Je me mis à examiner les billets : il y en avait des bleus, des roses, des verts, des jaunes, des noirs et des rouges. Des billets de cent dollars, de mille marks et de dix livres. Mais il y avait aussi des billets syriens, espagnols, italiens et australiens. Y aurait-il de quoi payer un billet pour l'Express de Minuit ? Dans ce cas, où cacher cet argent en attendant le passage du train ?

Je vérifiai que le *kogus* était endormi. Joey et Popeye s'étaient glissés sous leurs couvertures. Pendant une bonne demi-heure, je restai moi aussi sous les couvertures à examiner les différentes cachettes possibles. Je finis par prendre une décision et travaillai toute la nuit. Je m'endormis juste au moment où Ziat descendait pour préparer son thé.

Je m'éveillai dans le milieu de la matinée, épuisé par une nuit courte et agitée. Je descendis aussitôt acheter du thé à Ziat et venais de sortir dans la cour quand Popeye fonça vers moi, l'air tendu.

— Qu'en as-tu fait ? me demanda-t-il.

— Calme-toi. Je ne peux pas te le dire.

— Quoi ! Tu veux nous doubler ?

— Chut ! Tu veux alerter Ziat ?

Popeye s'éloigna de moi, furieux. Quelques instants plus tard, Joey vint me parler à son tour.

— Que se passe-t-il ? Pourquoi ne veux-tu pas dire à Popeye où tu as caché l'argent ?

— Je ne peux pas. Il va y avoir une fouille ; je serai le seul à le savoir. Ainsi, s'ils trouvent l'argent, je serai le seul à avoir des ennuis. Je ne parlerai pas, ce n'est pas la peine d'insister.

— D'accord. Fais bien attention, finit par acquiescer Joey.

Je savais qu'il serait le premier à être soupçonné et je ne

voulais absolument pas qu'il soit au courant de la cachette. Ainsi, il ne risquerait pas de parler sous la torture.

Ce fut plus tard dans la journée que nous entendîmes Ziat parler avec animation à Necdet. Peu après, on nous appela pour l'appel. Les prisonniers se mirent en rang. Popeye, Joey et moi prîmes soin de nous mettre le plus loin possible les uns des autres.

Mamur entra dans la pièce, escorté de Hamid, d'Arief et d'une dizaine de gardiens. Il s'arrêta devant chacun d'entre nous en nous regardant d'un air mauvais, puis se mit à hurler en turc des propos que Necdet nous traduisit.

— Une somme importante a été volée dans le *kogus*, dit-il. Vingt-cinq mille livres. Je veux que chacun d'entre vous réfléchisse. Nous allons procéder à une fouille de votre *kogus*. Pendant ce temps, vous serez enfermés dans le *kogus* des enfants. Vous en sortirez un par un pour être interrogés. Si quelqu'un a quelque chose à dire, il pourra le faire seul et personne ne saura qu'il a parlé. La personne qui détient cet argent, ajouta-t-il un ton plus haut, a intérêt à le rendre immédiatement. Dans ce cas, elle s'évitera tout problème et ne sera ni battue ni déférée au parquet. Tout ce que nous voulons, c'est récupérer l'argent.

Ils nous fouillèrent un par un avant de nous envoyer dans le *kogus* des enfants. Je ne courais aucun risque : je n'avais pas l'argent sur moi.

Enfermés dans le quartier des enfants, nous attendîmes longuement en faisant les cent pas.

— A quoi joue Mamur ? me demanda Joey. Tu crois que Ziat lui a promis une partie de l'argent ?

Je m'écartai de lui en haussant les épaules. Popeye fixait sur moi un regard inquiet.

Une heure plus tard, Arief vint nous parler :

— Vous allez rester ici toute la journée et toute la nuit. Et peut-être aussi demain. Nous n'hésiterons pas à vous garder ici toute la semaine si nous ne trouvons pas l'argent ! Nous allons vider complètement les cellules, briser tout ce que nous trouverons. Et lorsque nous découvrirons l'argent, nous battrons à mort le voleur. Mais s'il se dénonce, ajouta-t-il, nous nous contenterons de récupérer l'argent. Il ne sera pas battu.

Silence total.

— Salauds !

Les heures passèrent. Nous étions tous en pyjama et pieds nus.

164

Popeye se fit plus insistant. Il me prit à part et me demanda de rendre l'argent.

— Tu es fou ! Tu veux vraiment nous attirer des ennuis. Il faut tenir le coup !

J'étais aussi inquiet que lui et je ne savais pas si ma cachette se révélerait efficace. Par la fenêtre, je vis les soldats qui vidaient entièrement les cellules, déchirant même les matelas pour fouiller l'intérieur. Je m'efforçai de ne plus penser à l'endroit où j'avais caché le pécule, comme pour éviter de transmettre cette indication par télépathie.

Au bout de plusieurs heures de tension, la solution vint d'une source tout à fait inattendue. Nadir, un prisonnier iranien qui dormait sur un matelas au premier étage, courut vers un gardien et demanda à voir Mamur. La Belette arriva immédiatement : Nadir lui dit, dans un turc excellent, qu'il avait vu Ziat rôder dans notre *kogus*, que lui-même avait trois mille livres dissimulées dans son oreiller, et qu'il ne voulait pas que Ziat les lui prenne. Nous pûmes tous constater que Ziat fouillait le premier étage du *kogus*.

Mamur l'emmena vers le *kogus*.

— D'où ce Ziat, grommelait Nadir, tire-t-il ses vingt-cinq mille livres ? Comment a-t-il pu accumuler autant d'argent en prison ? Qui a vu cet argent ? Peut-être veut-il nous voler tous une dernière fois avant d'être libéré ?

L'oreiller de Nadir ne contenait plus la somme qu'il y avait cachée ; il se mit à crier qu'on l'avait volé et à accuser Ziat. Les gardiens hurlèrent, Ziat aussi. Nadir était fou de rage. Qui disait vrai ? Nadir avait peut-être de l'argent, mais il était peut-être très malin. Mamur ordonna le silence et les gardiens sortirent rapidement du *kogus*.

Nous rentrâmes dans nos cellules : tout était sens dessus dessous, écrasé, cassé, déchiré. Mon matelas était au milieu de la pièce, mon casier avait été vidé par terre. Je vérifiai immédiatement que les plans de la prison et la lime étaient toujours à leur place, avant de ranger ma serviette, mon journal, mes bougies, mes cigarettes et la photo de Lillian.

Joey et Popeye s'approchèrent sans oser venir me parler.

Une semaine s'écoula. Ziat ne cessait d'épier Joey. Il semblait avoir abandonné toute ambition et céda même la concession du commerce de thé à Nadir. Maintenant qu'il avait perdu tout cet argent gagné en trafiquant et en volant ses clients, il allait se retrouver sans un sou dans les rues d'Istanbul où l'attendaient de nombreux ennemis. Nous nous réjouissions tous de son malheur. Mais c'était oublier que Ziat avait de nombreux alliés parmi les gardiens.

J'eus la surprise, un après-midi, de le trouver en bas en costume cravate. Soudain, Mamur et Arief arrivèrent pour l'appel : tous les prisonniers se rangèrent respectueusement. Ziat se mit délibérément au premier rang, près de Necdet.

Arief commença à nous fouiller un par un. Il arriva rapidement devant Ziat, et extirpa une petite boîte d'allumettes de sa poche.

— *Nebu* ? hurla-t-il.

Il l'ouvrit et mit à jour un petit morceau de haschich. Arief fit alors avancer Ziat et le bouscula sans trop de vigueur.

— Où te procures-tu ce haschich ? hurla-t-il.

— De Joey, bredouilla Ziat.

Je sentis Joey se raidir près de moi.

Mamur l'appela immédiatement.

— Alors ? lui demanda-t-il.

— Je ne sais pas ce qu'il veut dire. Je ne lui ai jamais rien vendu. Je n'ai rien à voir avec lui.

— Je te connais, dit Mamur en le regardant dans les yeux.

— Je...

— Tais-toi. Je te connais. Où as-tu eu ce hasch ?

Il souleva Joey par un bout de la moustache.

— Où as-tu eu ce hasch ? répéta-t-il.

— Je vous dis que je ne sais rien.

— A la cave, hurla Mamur.

Les gardiens emmenèrent Joey. Mamur nous regarda tous longuement.

— Tous ceux qui s'amusent à acheter ou à vendre du haschich vont avoir de mes nouvelles, dit-il avant de tourner les talons.

La fouille s'arrêta immédiatement. En fait, ils ne cherchaient pas le haschich mais l'argent, et voulaient simplement une excuse pour faire descendre Joey à la cave et le battre.

— Pourquoi ne descendez-vous pas à la cave ? demandai-je à Necdet. Vous savez ce qui s'est passé.

— Oui, mais que puis-je faire ?

— Ils vont le tuer à force de coups. Vous savez que c'est un coup monté. Ziat vend du hasch depuis des années.

Necdet ne voulait pas savoir ces choses.

— Ziat vendait du hasch ici ? feignit-il de s'étonner.

166

— Vous l'ignorez peut-être, dis-je en m'efforçant d'être diplomate. Mais ils vont massacrer Joey en bas. C'est l'argent qu'ils cherchent, vous le savez très bien.

Necdet alla parler au gardien qui était à la porte. Mais celui-ci avait reçu des ordres ; on ne pouvait qu'espérer que Joey allait s'en tirer. J'étais content qu'il ne sache pas où était caché l'argent, sûr qu'ainsi il ne l'avouerait pas sous la torture. Mais il savait qui l'avait.

Je pensai à lui tout l'après-midi, imaginant les mille tortures que les gardiens devaient lui infliger, et possédé d'une haine sans limite pour Ziat.

C'était mon tour pour le bain ce soir-là. Nous sentions l'absence de notre compagnon mais évitâmes d'en parler : nos sentiments étaient au-delà des mots.

J'étais encore couvert de savon au moment où la porte s'ouvrit. J'entendis une voix gaie : c'était Ziat qui arrivait en plaisantant avec les gardiens, toujours en costume. Sans prendre le temps de me rincer, je lui courus après.

— Ziat !

Il se retourna et je lui envoyai un coup de poing dans la figure qui le précipita contre la fenêtre. Je perdis l'équilibre et glissai sur le sol en béton. Ziat s'enfuit vers la cuisine. Plusieurs hommes me saisirent et m'empêchèrent de le suivre.

Nadir sortit alors un couteau et s'approcha de Ziat. Le Jordanien se rua vers l'escalier en hurlant.

Necdet arriva immédiatement pour rétablir le calme.

— Ça suffit, dit-il. Gardiens ! Emmenez Ziat. Il faut le tenir à l'écart du *kogus*.

Ziat rassembla ses affaires à la hâte et passa les dernières semaines de son incarcération à l'infirmerie.

Joey revint parmi nous le lendemain matin. Il boitait, mais légèrement. En effet, dès les premiers coups, il avait hurlé qu'il allait dénoncer Mamur au consul américain. La Belette avait pris peur et avait quitté la pièce. Les gardiens avaient laissé Joey dans la cave toute la nuit avant de le reconduire au *kogus* sans plus de dommages.

CHAPITRE 19

Le départ de Ziat constitua un merveilleux cadeau de Noël pour tout le *kogus*. J'aurais certes préféré partir moi-même mais sa libération me délivra du malaise que sa présence avait toujours suscité en moi.

Mais ce départ signifiait aussi la richesse pour Popeye, Joey et moi.

— Joey, viens donc avec Popeye sur mon lit prendre une tasse de thé. Il faut que nous parlions.

— Où est l'argent ? me demandèrent-ils en sirotant leur thé.

— Sous vos yeux depuis des semaines.

— Quoi ?

Je pris la grosse bougie qui était posée sur mon casier. Ils me regardèrent, bouche bée, tailler la cire avec ma lime. A la fin de l'opération, mon lit était couvert de miettes de cire et mille cinq cents dollars en billets colorés s'étalaient sous leurs yeux médusés.

— Comment as-tu pu planquer ce fric là ? demanda Popeye.

— Il m'a fallu une nuit entière de travail sous les draps : j'ai fait brûler des bougies en laissant tomber la cire sur les billets, en tremblant de peur de mettre le feu à tout le *kogus*.

Nous divisâmes la somme en trois : environ cinq cents dollars chacun.

— Si l'un d'entre nous se fait pincer avec cet argent, il doit inventer sa propre histoire. Et surtout, on ne se connaît pas plus que ça.

— D'accord, dit Joey. Je vais déjà essayer de filer du fric à un gardien pour avoir de la nourriture.

Nous mangeâmes tous trois très bien pendant les jours qui suivirent. Je vis que Popeye portait une très belle montre Seiko qui avait appartenu à Muhto, un prisonnier malaisien qui, lui, put ainsi fumer des cigarettes étrangères.

Je m'achetai des fruits frais que je conservai sur le rebord de la fenêtre. Mais je gardai l'essentiel de la somme dans la reliure de mon journal, comme j'avais vu Max le faire.

Par un froid matin d'hiver, Popeye vint me voir, tout excité.

— Attention ! Nous allons être attaqués !

— Que racontes-tu ? lui demandai-je.

— Les Afghans sont là. Ils nous envahissent. Vite, avant qu'ils n'arrivent avec leurs chameaux.

Popeye exagérait, bien sûr, mais pas tant que ça. Une quinzaine d'Afghans arrivèrent en effet, dans des vêtements colorés. Ils voyageaient dans un bus chargé de marchandises diverses lorsque la police les arrêta. Ils déclarèrent qu'ils étaient des pèlerins revenant d'un pèlerinage à La Mecque, et que tout ce qu'ils transportaient était des cadeaux pour leurs amis et leurs familles. Le problème était qu'Istanbul n'était guère sur la route entre La Mecque et l'Afghanistan : ils furent donc inculpés pour contrebande.

Tous les lits du haut étant déjà occupés, les Afghans dormirent par terre, en bas ; on leur donna de vieux matelas et de vieilles couvertures que, de toute façon, personne ne voudrait plus utiliser après eux.

Ils s'installèrent donc dans un coin de la pièce d'en bas et tous les autres prisonniers s'efforçèrent de rester le plus loin possible d'eux. Lorsqu'ils n'étaient pas occupés à prier, les Afghans poussaient pour être les premiers à la soupe et ramassaient tout ce qui traînait dans leurs grands sacs de toile.

C'étaient des prisonniers bruyants, qui jouaient et criaient comme des enfants, mais qui se disputaient aussi beaucoup : les cicatrices qui ornaient leurs visages étaient à cet égard très inquiétantes.

Leur chef était un vieil homme qui avait un œil aveugle et l'autre noir qui brillait comme celui d'un faucon. Un homme n'avait que trois doigts à une main. Un autre avait une oreille arrachée.

***

Nous étions tous choqués par le durcissement des peines infligées aux trafiquants de drogue en Turquie, alors que, dans le reste du monde, la tendance était plutôt à la réduction des sanctions pour possession de marijuana et de haschich. Robert Hubbard, Jo Ann McDaniel et Kathy Zenz se présentèrent à nouveau devant le tribunal le 28 décembre en s'attendant à un nouvel épisode ennuyeux du procès qui durait depuis plus d'un an. Mais cette fois, le juge les accusa d'avoir transporté cent kilos de haschich de Syrie en Turquie et les condamna à la peine de mort, commuée aussitôt en emprisonnement à perpétuité. Je fus atterré par cette décision et passai la nuit à prier pour que nous trouvions tous une solution, en espérant que la voie diplomatique ferait des miracles.

Willard Johnson m'apporta un rapport de l'ambassadeur Macomber ; selon lui, l'amnistie ne tarderait pas à être accordée à tous les prisonniers dès que la Turquie aurait un nouveau gouvernement. Chacun pensait à l'époque qu'à l'occasion du cinquantième anniversaire de la république turque, une amnistie générale serait accordée. Je pensai que cela ne signifierait sans doute pas pour moi la libération immédiate. Macomber pensait d'autre part qu'il n'y avait qu'une chance infime d'obtenir l'extradition des prisonniers étrangers. Il me restait donc au mieux une peine de seize ans et demi à purger, si l'on comptait la remise de treize ans et demi pour bonne conduite.

Ce fut à ce moment que mon père vint me voir pour la quatrième fois. Il avait beaucoup changé ; ses yeux tristes accusaient maintenant son âge.

— J'ai un cadeau pour toi, me dit-il.

Je saisis immédiatement qu'il parlait en langage codé pour ne pas être compris par Willard qui assistait à notre entrevue.

Le cadeau était en fait un album de famille tout neuf où mon père avait rangé de nombreuses photos. Je le feuilletai rapidement, la gorge nouée en revoyant des photos de ma mère, de mon frère Rob sur son vélo, de nos batailles de boules de neige, de ma sœur Peg au moment de sa naissance...

— Tu trouveras plusieurs photos de Mr. Franklin, de la banque, ajouta mon père.

— Ah oui ! Je me souviens très bien de lui !

— Cela ne m'étonne pas. Il te répétait toujours qu'il voulait que tu deviennes ingénieur à la Compagnie des Chemins de Fer. Tu te souviens de tous les trains qu'il avait chez lui ?

Mon père me désigna du doigt la couverture de l'album. Le vieux rusé ! Je me demandais où il avait bien pu apprendre cette planque.

— Tout cela te coûte une fortune, Papa. Les avocats, les voyages. Je te rembourserai un jour.

— Je sais, Billy. Ne t'inquiète pas pour ça. J'ai appris à ne plus me faire de souci pour ce qui n'a pas d'importance.

— Tu as raison, Papa.

— Tu sais, tout est plus facile pour moi au travail, maintenant, me dit-il. Les petits détails ont cessé de me tracasser et je sais enfin faire la différence entre ce qui est essentiel et ce qui est mineur.

— Je suis content que tu m'en parles, Papa.

— J'aurais dû le faire plus tôt. Chacun peut avoir son opinion. Il faut savoir écouter les autres, même lorsqu'ils ne pensent pas comme vous.

— Papa... Si je sors d'ici... nous parlerons beaucoup plus.

Il se contenta de me répondre par un sourire. La visite dura longtemps. Papa n'avait pas perdu l'espoir d'obtenir un transfert ou une amnistie. Mais l'évasion était peut-être le seul moyen de sortir de là.

— Fais attention, mon fils, me dit-il en partant. Sois prudent.

Je retournai au *kogus*. Des prisonniers firent cercle autour de moi pour avoir les dernières nouvelles, essayant de me soutirer des morceaux de chocolat, des cigarettes. Je montrai l'album de photos à la ronde. Ma sœur Peg devint célèbre à Istanbul.

Mon père ne passa que quelques jours en Turquie cette fois-là et je savais bien qu'il arrivait au bout de ses possibilités financières. Je lui parlai plusieurs fois de l'Express de Minuit, sentant combien cette idée l'inquiétait. Pendant trois ans, il avait tenté de me convaincre de renoncer à tout projet d'évasion. Il avait maintenant hypothéqué sa maison pour financer cette évasion : si j'échouais, je savais que cela le tuerait. Avant de rentrer aux États-Unis, il vint me voir une dernière fois. Au moment de partir, il me saisit le bras et ouvrit la bouche pour me dire quelque chose mais aucun son ne sortit. Il se contenta de me serrer contre lui puis s'éloigna sans mot dire.

***

Je brûlais de curiosité mais je me forçai à faire circuler l'album dans le *kogus* pendant plusieurs jours. Puis je le posai sur mon casier pendant quelque temps encore. Ce ne fut qu'une semaine plus tard que je me mis à la recherche de l'argent. Une nuit, sous mes draps, je défis soigneusement la couverture de l'album. J'y découvris plusieurs billets de cent dollars, tout neufs, épinglés trois par trois. Vingt-sept portraits de Benjamin Franklin !

Je mis l'argent en lieu sûr pour pouvoir continuer à faire circuler l'album de photos ; je le glissai avec l'argent de Ziat dans la couverture de mon journal qui cachait aussi les plans, la lime, et un petit morceau de LSD qui pourrait toujours me servir à neutraliser un gardien si nécessaire.

Je ne savais pas encore comment j'allais utiliser l'argent. Il fallait d'abord voir ce qui allait se passer pour l'amnistie et l'extradition. Je ne voulais pas prendre le risque de m'évader et de me faire reprendre pour découvrir que j'aurais pu être libéré.

[*]

Le temps s'écoulait toujours aussi lentement. Quand cela se terminerait-il ? Quand ma vie pourrait-elle recommencer ?

Par une froide matinée bien semblable aux autres, j'étais assis dans la cour. Deux prisonniers allemands arpentaient l'espace au pas de l'oie. L'air était frais et le ciel gris.

Nadir arriva soudain en criant :

— C'est Hamid. Hamid.

Ce seul nom me donnait le frisson.

— Quoi ?

— Une bonne nouvelle : Hamid est mort !

— Hamid ? L'Ours ? Il est mort ? Ce n'est pas possible !

— Ouahou !

Nadir entra dans le *kogus* pour annoncer la nouvelle aux autres prisonniers. Ce fut une explosion de joie.

Chabran sortit du *kogus* des enfants en disant : « *Allah buyuk* » (Dieu est grand).

Tous les prisonniers sautèrent de joie dans la cour. Joey s'approcha de moi et me donna une tape dans le dos. Popeye se mit à siffler gaiement. L'allégresse était générale, et effrayait les gardiens.

Je me rendis soudain compte que nous étions en train de

nous réjouir de la mort d'un homme, que cette mort nous rendait heureux. Comment des hommes pouvaient-ils tant se réjouir de la disparition de l'un de leurs semblables ? Et pourtant j'étais heureux, moi aussi, et soulagé à l'idée de ne plus revoir ce monstre.

Personne ne connaissait les détails de sa mort : Hamid avait été tué par quelqu'un à l'extérieur de la prison, dans un restaurant. On ne savait rien d'autre.

Plus tard, à l'aide d'un paquet de Marlboro, je persuadai un gardien de me laisser aller à l'infirmerie, convaincu que Max en saurait plus sur cette affaire. Je le trouvai assis sur son lit, occupé à bavarder avec deux Turcs. Il me fit un accueil chaleureux.

— Il prenait son petit déjeuner, me dit-il. Au restaurant qui se trouve juste en face de la prison, où il déjeune d'ailleurs tous les jours. Ce jour-là, il a rencontré ce type qu'il avait coffré deux ans plus tôt pour du hasch... Un Turc... Hamid l'avait emmené dans la cave et l'avait battu comme un fou en hurlant des horreurs du genre « Je baise ta sœur, je baise ta mère, je baise ton père, ton frère, ta grand-mère »... Le type n'a jamais oublié cette séance et lorsqu'il est sorti, il est allé trouver Hamid au restaurant et a sorti son revolver en disant : « Tu te souviens de moi ? Eh bien ! Voilà pour ma mère. Blam ! Et pour ma sœur. Blam. » Il lui a tiré huit balles dans le ventre. Puis il s'est assis en regardant Hamid par terre et a tout simplement attendu la police.

Quelques semaines plus tard, l'assassin de Hamid débarquait dans le *kogus* des Turcs et reçut l'accueil réservé aux héros. Il venait d'être promu au rang des *kapidiye* : son surnom était *Aslan*, le Lion.

Puis Arief disparut un jour ; selon les rumeurs, le bourreau avait été hospitalisé pour une opération. Mamur demanda aussitôt sa mutation à la prison d'Izmir.

CHAPITRE 20

Le 7 mars 1974.

Lillian,

C'est le milieu de la nuit. Tout va mal. J'ai parfois l'impression de mourir, et de mourir tout seul. Mon ami Arne m'a permis de comprendre à quel point je ne savais rien et en même temps je sens bien que j'ai beaucoup appris sur la vie en général, et sur les sentiments humains. Arne me manque mais il reste près de moi, comme Patrick, mort depuis deux ans déjà.

Ces derniers mois ont été très difficiles. Tous mes projets sont tombés à l'eau. J'ai l'impression d'étouffer.

Le printemps est là et j'ai envie de sentir la douceur de l'air, et ta douceur. J'ai gardé toutes tes lettres : elles me donnent de la force et de l'espoir. Pour ce qui est de l'amnistie, tout se complique mais j'ai confiance en mes parents et en mes amis. Je ne sais pas si je pourrai tenir longtemps encore.

Ne me laisse pas tomber, Lil. Pense à nous deux.

Billy.

Depuis ma première nuit à Sagmalcilar, trois ans et demi plus tôt, j'avais entendu les prisonniers parler d'amnistie. Le gouvernement turc finit par la voter le 16 mai 1974, et la loi fut appliquée dès le lendemain. Tout le *kogus* était rassemblé autour des prisonniers qui étaient capables de lire les journaux turcs. C'est ainsi que nous apprîmes que toute personne incarcérée en Turquie allait obtenir une remise de douze ans pour chacune de ses peines, y compris les assassins, les voleurs, les auteurs de hold-up et de kidnapping. A cela s'ajoutait la remise de peine pour bonne conduite ; un prisonnier condamné à trente ans de prison pouvait donc obtenir une réduction de peine de dix ans pour bonne conduite et de douze ans par amnistie. Il ne lui restait ainsi plus que huit ans à passer derrière les barreaux. Seuls les trafiquants n'avaient droit qu'à une amnistie de cinq ans.

Je supposais que c'était mieux que rien. Mais ma libération n'était ainsi avancée qu'au 7 octobre 1985. Seul sur mon lit, à l'écart de l'atmosphère de fête qui régnait dans le *kogus*, je retournais le problème. En douze ans, tout le monde ici serait parti. La plupart des trafiquants n'avaient plus que cinq ans à tirer en prison. Joey serait parti ; Timmy serait libéré d'Izmir. J'étais content pour eux, bien sûr, mais très malheureux. De mon groupe d'amis, il ne resterait plus que Popeye et Max, qui d'ailleurs passait tout son temps à l'infirmerie.

Joey vint me voir. Il me rappela qu'il y avait toujours la possibilité d'être transféré et m'assura que je serais bientôt dehors.

— As-tu entendu parler de l'amnistie complémentaire de sept ans pour les trafiquants ?

— Quoi ?

— D'après les journaux, certains groupes de pression ont protesté contre le fait que les trafiquants ne bénéficient que d'une remise de peine de cinq ans et demandent au Parlement d'accorder sept ans de plus. Qui sait ? Tu auras peut-être une amnistie de douze ans, comme tout le monde.

— Joey, je suis condamné à trente ans. Même avec douze ans de remise de peine, il m'en reste pas mal.

— D'accord, mais c'est toujours mieux que Necdet.

— Que veux-tu dire ?

— Tu ne sais donc pas ? Un seul prisonnier dans tout le pays n'est pas concerné par la loi d'amnistie : un espion syrien. Le Parlement l'a cité nommément et a déclaré que la loi ne pouvait lui être appliquée. Il s'agit de Necdet.

Necdet rendait visite aux prisonniers en liesse, les félicitant et leur souhaitant bonne chance. Je n'avais jamais rencontré un prisonnier qui méritât mieux l'amnistie que lui : il était juste, propre, aimable. C'était cela, la justice turque.

Ce soir-là, les haut-parleurs annoncèrent les noms de ceux qui seraient libres dès le lendemain. Des cris de joie accueillaient chaque nom. J'attendais sur mon lit en compagnie de Joey, dont le nom commençait par un M. Mais lorsque les gardiens arrivèrent à la lettre L, l'un d'entre eux annonça qu'il se faisait tard et qu'il reprendrait l'appel le lendemain matin.

Les protestations fusèrent de toutes parts. Joey devint enragé.

— Ils ne vont pas me laisser partir, hurla-t-il. Ces salauds de Turcs vont me garder ici. Je ne veux pas. Gardien ! Laissez-moi sortir. Je veux parler au directeur ! Gardien !

Je tentai de le raisonner.

— Tu perds la tête ? Réfléchis un instant, lui dis-je. Tu sors demain. Ils vont t'appeler demain matin. Veux-tu gâcher tes chances si près du but ?

— Je sais qu'ils vont me faire une saloperie pour me garder ici.

Au bout de cinq ans de prison, Joey était incapable de supporter une nuit de plus. Il demanda à Nadir de lui procurer un peu de haschich, mais Nadir refusa son argent.

— Voilà, mon pote. Tu en as bien besoin, lui dit-il en lui tendant cinq cachets de Nembutal, que Joey avala d'un trait avec une tasse de thé.

— Je ne peux plus supporter d'être ici, dit-il. J'ai l'impression que mes nerfs sont comme des balles de ping-pong dans une machine à laver ! Si je ne me réveille pas, tant mieux. Et s'ils m'appellent demain, qu'ils aillent se faire foutre. A eux de m'attendre ! Ça fait bien cinq ans que j'attends, moi !

Il se coucha et remonta sa couverture sur sa tête.

Pendant ce temps, je mis un projet au point. Il était peut-être temps d'utiliser l'argent dont je disposais. Il ne me serait probablement pas très difficile de me glisser dehors avec les autres dans la confusion qui n'allait pas manquer de régner.

Je rendis visite à François, un jeune Français qui venait de prendre vingt mois pour avoir eu sur lui une seule cigarette de haschich. Il était occupé à faire ses modestes bagages. François était bizarre ; tout le monde l'appelait « Ding-Dong ». Je savais qu'il n'avait pas beaucoup d'argent et qu'il avait l'intention de se rendre directement en Inde à sa sortie de prison.

— Hé, Ding-Dong, ça t'intéresserait de te faire cinq mille livres ? lui proposai-je.

Il me sourit, incrédule.

— Comment ça ?

— C'est très simple. Demain tu me laisses t'attacher dans les toilettes, et tu me donnes ta carte d'identité. Lorsqu'ils te trouveront plus tard, tu leur diras que je t'ai attaqué et ils seront bien obligés de te laisser partir. Qu'en penses-tu ? Tu veux l'argent ?

Il était peut-être bizarre, mais il n'était pas idiot.

— Fous le camp, me dit-il.

***

A six heures du matin, l'appel reprit au haut-parleur. Les heureux élus se mirent en rang. Popeye et moi réveillâmes Joey, qui partit en titubant. Cinquante-deux des soixante-quinze prisonniers de notre *kogus* partirent ce jour-là ; environ deux mille cinq cents sur les trois mille personnes emprisonnées à Sagmalcilar furent ainsi libérées. Ce fut un moment très difficile pour moi. Arne, Charles, Joey, presque tous mes meilleurs amis étaient partis. Mes pires ennemis aussi. J'arpentai la cour toute la journée. L'été arrivait. Dehors, il y avait la vie, l'amour, le bonheur, la tristesse. Mes amis d'enfance se mariaient, avaient des enfants, devenaient riches. Et les Turcs avaient décidé que je devais rester en prison jusqu'à l'âge de trente-huit ans.

***

Par un tranquille matin de mai, j'étais assis dans la cour, au soleil. Seuls les cris et les rires des enfants troublaient de loin en loin le calme ambiant.

— Vilyom Haï-yes, m'appela-t-on soudain.

Le gardien me tendit un carton de visite en souriant. Je savais que ce n'était ni Willard ni l'avocat, ni quelqu'un qu'ils auraient accompagné. Le visiteur était venu seul. J'étais en jeans et regrettai de devoir le recevoir dans cette tenue décontractée. Je courus mettre mon costume, puis je me rendis à la cabine 17 qui m'avait été attribuée : personne.

L'espèce de cagibi qui servait, cette fois, pour la visite était chaud et humide et sentait la cigarette. Là, les prisonniers étaient séparés de leurs visiteurs par une vitre et la conversation se faisait par le truchement d'un micro.

J'étais trempé de sueur et je m'épongeais le visage avec mon mouchoir au moment où la porte s'ouvrit.

Lillian était là, devant moi.

Elle me sourit timidement et appuya la paume de ses mains sur la vitre. Je mis la mienne de l'autre côté ; mon cœur se mit à battre la chamade.

— Oh ! Billy...

Nous restâmes longuement silencieux, à nous manger des yeux.

Puis je me mis à rire.

— Lillian ! Que fais-tu ici ? Est-ce bien vrai ?

— Mais oui, c'est vrai, Billy. Comment vas-tu ?

— Super-bien ! Je suis juste un peu ennuyé d'être en prison. Tu as une mine superbe, Lily. Tes cheveux sont si longs !

— Oui, je les ai laissés pousser depuis l'Alaska. Je savais que cela te plairait.

— J'adore cela. Tu es très belle.

— Et toi, tu es très élégant ! Est-ce que tu portes l'uniforme de la prison ?

— Oh non ! Je voulais juste faire bonne impression ! Non, sérieusement, je l'ai gagné au poker.

— Je suis contente de voir que tu n'as abandonné aucun de tes vices.

— Ne dis plus jamais cela. Je vais foncer dans la vitre et te sauter dessus. Tu es très désirable.

Lillian devint soudain très grave.

— Billy, ça va ?

— Oui, oui. Ne t'inquiète pas.

— J'ai eu peur que tu ne fasses une bêtise, dit-elle.

Elle s'arrêta de parler, regarda autour d'elle et m'interrogea des yeux.

— T'inquiète pas, on n'est pas enregistrés. Ils ne savent même pas se servir des micros. Et ils ne sont pas capables de faire marcher les haut-parleurs dans les cellules.

— Je sais ce que tu as dû ressentir au moment de la loi d'amnistie. Mais sois prudent, s'il te plaît. Ne fais rien de dangereux maintenant.

— Non, Lily. Je ne ferai rien.

— Ta dernière lettre m'a affolée.

— Excuse-moi. J'ai parfois du mal à maîtriser ma déprime.

— C'est très bien que tu te confies à moi, Billy. Je veux partager tes souffrances. Mais je sens que tu te prépares à tenter quelque chose et j'ai peur. Je te connais, et c'est pour cela que je m'inquiète.

Je n'avais pas vu Lillian depuis six ans, mais nos lettres avaient ravivé les sentiments que nous avions eus l'un pour l'autre dans le passé. Le temps ne l'avait guère changée : elle était toujours aussi douce et belle. Mais elle paraissait plus forte à présent : la vie au grand air lui avait donné un air resplendissant et un corps ferme qui faisaient oublier la gamine d'hier. J'avais une femme devant moi, une femme qui voulait me communiquer sa force.

— Ouvre ton chemisier, lui dis-je soudain.

— Billy ! C'est impossible, me répondit-elle. Tu vas t'attirer des ennuis si les gardiens arrivent.

— Comprends-moi, Lil. Je meurs d'envie de voir tes seins.

— Arrête immédiatement ! Tu vas te rendre fou, dit-elle en faisant sauter le bouton du haut. Dis donc, que fais-tu de ce contrôle de soi dont tu m'as parlé dans tes lettres ?

De ses longs doigts, elle continua de déboutonner lentement son chemisier. Puis elle se leva et commença à l'enlever. Deux seins biens ronds, dont le bout brun tranchait sur le tissu blanc, en émergèrent. Je gémis de plaisir.

— Billy, murmura-t-elle. Je voudrais tant te donner plus.

— Non, Lily. C'est bon.

Nous entendîmes un bruit de pas à l'extérieur. Lillian remit rapidement son chemisier. Cette interruption me fut insupportable. Des gardiens passèrent devant la cabine ; l'un d'eux frappa à la porte pour indiquer que la visite était terminée. Puis ils s'éloignèrent.

— Rouvre-le, demandai-je.

Elle reboutonna son vêtement en riant.

— Tu es toujours aussi fou, me dit-elle. J'aurais été inquiète de te trouver plus raisonnable !

— Peux-tu rester longtemps à Istanbul ?

— Non, Billy. Je n'ai pas beaucoup d'argent. J'ai gratté les fonds de tiroir pour venir te voir.

— Et voilà comment je t'accueille ! dis-je en désignant le renflement de mon pantalon.

— Je dois repartir demain. Je ne peux pas attendre le prochain jour de visite.

J'étais un peu déçu mais content néanmoins de l'avoir vue et entendue ; voilà qui m'aiderait à tenir pendant un certain temps.

— Eh bien, retourne dans tes montagnes ! Un de ces jours, tu entendras un drôle d'écho ; tu te retourneras et tu me trouveras derrière toi.

— Billy, je t'en prie, sois prudent. Tu comptes tellement pour moi. Je ne veux pas que tu te fasses tuer.

— Mais moi aussi, je compte beaucoup pour moi ! Après tout ce que j'ai supporté, je n'ai aucune intention de mourir maintenant.

— Ton transfert va se faire, me dit-elle sur un ton grave. Laisse le temps à nos amis de t'aider. Beaucoup de gens se sont mobilisés pour obtenir ta libération. Laisse-leur le temps d'agir.

— D'accord, Lily.

— Beaucoup de gens prient pour toi, Billy.

— Je sais. Je le sens.

— Je t'aime, Billy.

— Moi aussi, Lily.

Nous nous regardâmes un moment. Un gardien ouvrit la porte et l'appela. Je la regardai s'éloigner sans pouvoir la quitter des yeux...

***

— Il y a un nouveau, annonça Necdet. C'est un Américain.

Je ne voulais pas du tout d'un petit nouveau qui allait fanfaronner comme je l'avais fait.

Popeye descendit l'accueillir.

Mais cet Américain n'était pas un enfant de chœur. Il se nommait Harvey Bell et venait de la prison d'Elazig pour être examiné. Il souffrait d'une hernie à la suite d'une correction qu'il avait reçue pour avoir tenté de s'évader. Popeye l'aida à monter jusqu'à notre *kogus* : il était ivre mort.

— C'est propre ici, dit-il d'un ton étonné.

Je me dis alors, en voyant la saleté ambiante et l'odeur fétide dans laquelle nous vivions, qu'il valait mieux ne pas demander mon transfert à Elazig.

— Je suis de l'Alabama, dit-il. C'est formidable de ne plus être avec tous ces sales Turcs !

En tant que seul autre Américain du *kogus*, je me sentis obligé de me joindre à Popeye et de le saluer.

— T'es là pour combien ? lui demandai-je.

— Trente ans.

— Moi aussi.

Tout d'un coup, je le trouvai sympathique.

Il avala rapidement la tasse de thé que Popeye lui offrit.

— Comment peut-on se débrouiller pour sortir d'ici ? demanda-t-il.

— Chut ! Il y a beaucoup de gens qui comprennent l'anglais ici. Il faut faire attention à ce que tu dis.

— D'accord ! Comment peut-on sortir d'ici ? répéta-t-il à voix basse.

Il me faisait rire ; de toute évidence, il avait autant envie de s'évader que moi. Au cours des semaines qui suivirent, nos liens se resserrèrent : je lui parlai de la lime, de la corde, des plans de la prison et même de Johann à Istanbul. Je ne lui parlai pas de l'argent.

Nous examinâmes les barreaux de la fenêtre des toilettes. Je lui dis que j'avais pensé à les scier pour ensuite grimper sur le toit, attacher la corde à l'antenne et sauter de l'autre côté.

— Pourquoi ne l'as-tu pas fait ? me demanda-t-il.

— C'est du suicide. On se ferait descendre.

— Alors, donne-moi ton matériel. Je vais le faire.

— Non, pas encore. C'est vraiment la solution de dernière chance. Si mon histoire de transfert ne marche pas, alors peut-être...

***

J'eus la visite d'un Michael Griffith radieux. Il arrivait d'Ankara, où il avait rencontré l'ambassadeur Macomber et un avocat, Farouk Eherem, qui était le président du barreau turc. Eherem était surtout l'auteur du paragraphe 18 de l'article 647 du Code criminel turc qui stipulait que les étrangers emprisonnés en Turquie pouvaient être extradés vers leur pays. Eherem avait promis à Mike qu'il en toucherait un mot au Premier ministre Ecevit, et que je ne tarderais sûrement pas à être transféré dans une prison américaine où je pourrais obtenir ma mise en liberté sous caution.

— Tout est prêt, me dit-il. Nous n'attendons plus que le document officiel et tu pourras rentrer à la maison.

La maison ! Je repensai à la définition qu'en faisait Robert Frost : « La maison est l'endroit où l'on vous accepte toujours lorsque vous devez y aller. » J'avais tellement envie d'y rentrer, d'y sentir l'odeur du rôti, du maïs, du melon, des pommes...

J'attendais tout de ce nouveau projet. Je m'étais pourtant promis, lorsque j'avais été condamné à perpétuité alors qu'il ne me restait plus que cinquante-trois jours d'incarcération, de ne plus jamais rêver de liberté jusqu'au moment où je serais dehors. Mais il était difficile de ne pas y croire cette fois. Mike semblait tellement optimiste que j'avais enfin l'impression qu'après ces quatre longues années j'étais au bout de mes peines, et que j'avais payé ma dette.

Nous étions le 10 juillet 1974.

**

Trois jours plus tard, la sonnerie retentit alors que je faisais mon yoga. Des voix excitées montèrent des autres cours. Des prisonniers formèrent un cercle autour de l'un d'entre eux qui avait un journal. La guerre ! Ecevit avait fait entrer ses troupes à Chypre pour faire respecter les droits des citoyens turcs chypriotes qui étaient opprimés par les Grecs. Du moins était-ce la version des journalistes turcs.

Nous essayâmes tous de nous figurer ce que cela pouvait nous apporter de bon. Tous les Turcs réclamèrent une amnistie afin de pouvoir rejoindre l'armée pour combattre les Grecs. Et nous, les étrangers, nous aurions bien donné un coup de main aux Turcs, au moins jusqu'à la frontière ! Nous rêvions même de voir les tanks grecs envahir Istanbul et abattre les murs de la prison.

L'effervescence fut de courte durée : les troupes turques vinrent très vite à bout de la résistance grecque et Ecevit reçut le surnom de « Lion », devenant ainsi un héros national. Deux semaines plus tard, Mike, qui était rentré aux États-Unis, m'écrivit qu'Ecevit allait sûrement considérer mon transfert avec bienveillance.

Ecevit l'examina en effet, mais il organisa d'abord des élections, pensant ainsi renforcer sa majorité. Malheureusement il perdit et le pays tenta de fonctionner sans gouvernement.

Le gouvernement américain était tout aussi impuissant, perdu dans les remous de l'affaire du Watergate. Je me remis à m'intéresser à la vie politique américaine et je me passionnai pour cette affaire.

Pour mes amis non-américains, les protagonistes de cette histoire apparaissaient comme des personnages de bande dessinée. Je me surpris à avoir des réactions chauvines, non pas tant pour ces hommes politiques mais pour ce peuple que j'aimais. Je ne défendais pas le gouvernement de mon pays mais la forme de gouvernement. Ce long séjour en Turquie fasciste m'avait appris à apprécier un lieu où chacun peut s'exprimer.

Puis un jour d'août, j'eus des nouvelles.

Nadir arriva en courant.

— Nixon ! Tu n'as pas entendu ? Il a démissionné.

Je m'assis sur mon lit pour écrire à mon ex-président une lettre qui commençait par : « Cher compagnon d'infortune... »

CHAPITRE 21

— Salut Willie !

— Max ! Pourquoi as-tu quitté l'infirmerie ? Ils sont en panne de Gastro ?

— Non, non. Je suis venu pour te voir. J'ai trouvé un gardien là-bas qui me laisse faire tout ce que je veux pour un paquet de Marlboro. Tu veux toujours partir d'ici ? me demanda-t-il après un instant de silence.

— Tu le sais bien.

— Il faudrait que je parte aussi, dit-il en se mettant à pleurer. Cette saloperie de Gastro me tue et me rend aveugle.

— Tu as un plan ?

— Oui. Je crois que je peux acheter un médecin pour qu'il m'envoie à l'hôpital, de l'autre côté de la rue. Peux-tu t'y faire envoyer aussi ?

— Probablement. Je peux faire semblant d'être malade. Mais comment s'échappe-t-on de cet hôpital ?

— Euh... Quoi ?

— Max ! L'hôpital, comment s'en échappe-t-on ?

— Ah oui ! Eh bien, je peux avoir de l'acide par l'un des *kapidiye* à l'infirmerie. Il suffit d'en verser dans le café des gardiens.

— Et on sort dans les rues d'Istanbul ?

— Oui. J'ai tout prévu.

— Et une fois qu'on est dehors, que fait-on ?

— Quoi ?

— Comment fait-on pour quitter la Turquie ?

— Eh bien... Sais-tu si Johann est toujours à Istanbul ?

— Oui, il est toujours là. Il pourrait nous aider. Je suis

content de voir que tu as pensé à tous les détails. Et si nous n'arrivons pas à mettre quelque chose dans le café des gardiens ?

— Eh bien, nous avons une arme.

— Tu as une arme ?

— Non. Et toi ?

— Max ! Je croyais que tu avais pensé à tout !

— Tu ne me fais pas confiance, Willie ?

— Si, j'ai confiance en toi mais pas en ton cerveau.

Max me fixa longuement puis sa tête tomba en avant ; son mégot lui échappa des lèvres et se mit à brûler sa chemise.

— Max ! Ta chemise !

— Mon dieu ! s'écria-t-il en époussetant les cendres. Tu sais, Bill, il y a des moments où on sait qu'on n'en sortira pas.

Max retourna à l'infirmerie. Je me mis à repenser à son idée d'évasion et je me dis que cela me demanderait une grande énergie et qu'il faudrait que je concentre toutes mes forces si je voulais mener ce projet à bien.

Ce fut à ce moment-là que je reçus une lettre de chez moi.

Le 15 novembre 1974.

Billy,

... Je pense sans cesse à toi lorsque tu étais petit : il paraît que c'est un signe de vieillissement. Et pourtant je suis toujours la même. La vie continue, même si j'ai tous les jours un petit pincement au cœur pour mon aîné qui est si loin de moi.

*Affectueusement
Maman.*

Cette lettre me plongea dans la crise de dépression la plus violente que j'aie eue depuis quatre ans. Le vide et la solitude devinrent insupportables. Je souffrais affreusement d'imposer cette angoisse à ma mère.

Je pris alors la guitare d'Arne. J'étais maintenant capable de jouer quelques airs et je me mis à chanter des blues en compagnie de Harvey, qui était venu me rejoindre.

— Depuis combien de temps es-tu là, Willie ? me demanda-t-il à la fin de la chanson.

Il connaissait la réponse.

— Depuis combien d'étés ?

— Quatre étés.

— Quatre étés ! Ces Turcs te volent ton soleil. Pense que tu pourrais être allongé sur une plage avec une fille. Crois-tu qu'on puisse récupérer un été volé ?

— Bien, dis-je après un instant de silence. Allons-y.

— La fenêtre ?

— Oui, la fenêtre.

Nous avions fini par adopter cette solution, malgré les risques de se faire tirer dessus : la lime, les barreaux, le toit, le mur, les gardiens, les mitraillettes, les projecteurs, la corde dans l'obscurité, Johann, la frontière, l'Express de Minuit pour la Grèce. Je savais que ce plan serait peut-être mon arrêt de mort, mais j'étais déjà à moitié mort et je n'avais plus rien à perdre. Sauf ma vie.

— Quand tentons-nous le coup ? demandai-je à Harvey.

— Ce soir. Mon horoscope dit que c'est un bon jour pour les Scorpions.

Nous passâmes l'après-midi à préparer tout notre matériel. Je pris l'argent caché dans mon journal et le mis dans mon slip, mais je laissai la corde et la lime dans leur cachette. Je teintai mes tennis blanches avec de l'encre noire.

A deux heures du matin, je pris soin de vérifier que tout le monde dormait puis je sortis discrètement en tenant mes tennis noircis à la main. Harvey m'attendait sur son lit. Nous nous rendîmes aux toilettes, dans un coin à l'abri des regards.

— Allons-y.

Je sortis la lime de ma manche et approchai de la fenêtre. Très lentement, je me mis à limer l'un des barreaux de fer : le bruit grinçant de la lime sur l'acier nous fit frissonner.

Harvey vérifia que personne ne s'était réveillé dans le *kogus*. Je repris mon lent travail avec une certaine nervosité : j'étais sûr que l'un des gardiens allait surgir d'un moment à l'autre.

— Tu m'avais dit que cela ne prendrait pas plus de cinq minutes, murmura Harvey.

— C'est ce que je pensais, mais cette lime ne marche pas très bien.

— Laisse-moi essayer.

Harvey s'acharna pendant un moment : le barreau était à peine égratigné. Cela allait prendre une éternité. Nous décidâmes donc de travailler à tour de rôle. L'un limerait pendant que l'autre monterait la garde et inversement. A cinq heures du matin, l'acier était à peine entamé. Harvey mélangea la poussière de métal à des cendres de cigarette pour masquer nos agissements, et nous regagnâmes nos lits.

Plus tard dans la matinée, nous tentâmes de comprendre ce qui n'avait pas marché. Je vis alors que, lorsque j'avais essayé la lime sur le barreau de mon lit, j'avais limé la couche de peinture du barreau, mais pas le fer. Notre projet de scier un barreau avec une lime allait nous demander des semaines d'efforts dans un endroit exposé à tous les regards.

Harvey cependant était déterminé à continuer. Il pensait qu'il suffirait de scier un seul barreau pour pouvoir se glisser à l'extérieur. C'est alors seulement que la phase délicate commencerait.

Nous continuâmes à limer pendant deux autres nuits. Un tiers du barreau était entamé.

— Cela ne va pas, dis-je à Harvey un peu plus tard. Il va nous falloir des semaines et nous allons nous faire prendre, j'en suis sûr.

— Écoute, me répondit Harvey. Contente-toi de me réveiller à l'heure et de monter la garde. Je me charge de limer. Et dès que j'aurai enlevé le barreau, nous partirons ensemble.

— D'accord, dis-je après réflexion. Cela ne me plaît guère, Harvey, mais je le ferai.

Il passa cinq autres nuits à limer : le satané barreau résistait.

A cinq heures, un beau matin, Harvey m'annonça qu'il ne lui faudrait plus qu'une nuit de travail.

— Après-demain, promit-il, je te paie des souvlaki.

***

Arief ! Le Briseur d'Os était de retour. Personne ne pensait qu'il reviendrait après ce qui était arrivé à Hamid.

Le *kogus* se paralysa à son entrée. Il était escorté de plusieurs gardiens. Necdet vint le saluer. Arief se contenta de grommeler.

— Le prisonnier qui a des mèches toutes blanches, hurla-t-il, où est-il ?

Il n'y avait qu'un seul homme qui correspondait à cette description. Il dormait sur son lit après une longue nuit de travail.

Les gardiens le tirèrent de sa couchette. Il se débattit en grognant.

— La lime ! hurla Arief en le giflant.

— Quoi ?

Harvey reçut une seconde gifle qui le précipita dans les bras des gardiens.

Arief le traîna dans les toilettes et lui montra le barreau scié.

— Les enfants t'ont vu, dit-il. Nous savons que c'est toi. Je veux la lime.

Harvey haussa les épaules. Que pouvait-il faire ? Il ouvrit son casier et en sortit la lime qui était dissimulée dans le fond.

Arief poussa un grognement de satisfaction et ordonna aux gardiens d'emmener Harvey à la cave. Les prisonniers se livrèrent à toutes sortes de spéculations.

Je passai la journée à sursauter au moindre bruit, incapable de me concentrer sur mon livre. Popeye fit tout ce qu'il put pour me distraire, mais en vain.

Le lendemain matin, j'offris deux paquets de cigarettes au gardien, qui me donna quelques nouvelles. Harvey était à l'infirmerie. Deux paquets de plus me permirent d'aller y chercher un médicament pour ma « migraine ».

Je cherchai Harvey. Il était introuvable. J'en conclus donc que le gardien m'avait menti lorsque, finalement, je découvris dans un coin un prisonnier au visage tuméfié.

— Harvey ! Mon dieu ! Je ne t'avais pas reconnu.

— Ouais, ils ne m'ont pas raté, laissa-t-il échapper de ses lèvres gonflées.

Il avait perdu plusieurs dents, ses oreilles étaient à vif.

— J'ai peur pour ma hernie. Ils m'ont frappé dans les testicules à plusieurs reprises et je suis sûr qu'il me l'ont éclatée, Willie. Il faut que tu contactes le consul : j'ai besoin d'un médecin. En plus, ces salauds vont me sucrer ma remise de peine pour bonne conduite et me faire repasser en jugement pour tentative d'évasion. Il faut que le consul vienne constater mes blessures. On pourra peut-être s'en servir au procès. S'ils veulent me baiser, je les aurai moi aussi.

— Ils t'ont demandé le nom de la personne qui était avec toi, n'est-ce pas ?

— Comment as-tu deviné ?

— J'ai entendu Necdet en parler avec le gardien. Il disait que les gosses avaient vu que tu n'étais pas seul. Merci, Harvey.

— Tu ne voulais tout de même pas que je leur donne ton

nom ? Je suis content d'avoir balancé un coup poing à ce salaud d'Arief avant l'extinction des lumières. Tu l'as vu ?

— Non, mais j'ai entendu dire qu'il avait un gros coquard.

— C'est déjà ça. Écoute, Willie, contacte le consul. Je crois qu'ils vont me transférer dans une petite prison. J'ai peur de ce qui va m'arriver.

— Je l'appellerai, Harvey. Ne t'inquiète pas.

— Et essaie de te tirer de cet enfer, si tu peux.

— Oui, j'essaierai.

Deux jours plus tard, Harvey fut discrètement transféré à la prison d'Antakya, dans le sud-est du pays, la même où Robert Hubbard, Jo Ann McDaniel et Kathy Zenz étaient détenus.

***

Je finis par tirer les leçons de ces quatre années. Weber et Jean-Claude, les deux seuls étrangers à avoir réussi à s'évader à Sagmalcilar, avaient abordé la question directement. Tous deux avaient veillé à ne se confier à aucun autre prisonnier et ils avaient tout programmé sans jamais éveiller les soupçons de l'administration carcérale. Weber avait fait une véritable carrière professionnelle derrière les barreaux, et Jean-Claude avait eu la « tuberculose ». Les deux hommes étaient maintenant libres.

Il m'apparut clairement que je devais être transféré dans une autre prison si je voulais m'évader. Ici, trop de gardiens, trop de prisonniers savaient que je ne supportais pas la vie de la prison, même au bout de plusieurs années, et tous m'observaient. Il fallait donc que je me retrouve dans un lieu d'où je pourrais m'évader seul. Mais où aller ? Et comment obtenir ce transfert ?

Ce fut une décision du gouvernement turc lui-même qui m'apporta l'aide nécessaire. Suleiman Demirel mit sur pied un gouvernement de coalition et se pencha sur les doléances des petits trafiquants qui avaient été volés de sept ans de remise de peine lors de la précédente amnistie. Demirel promit de demander au Parlement d'accorder ces sept ans de remise. En mai, le Parlement turc accepta l'amnistie supplémentaire de sept ans. Popeye nous quitta tout joyeux et, une fois de plus, la libération d'un ami fut pour moi la cause de sentiments ambigus : j'étais heureux pour Popeye sans pouvoir par ailleurs réprimer ma jalousie.

L'amnistie réduisit ma peine, je n'avais plus que trois ans et demi à purger. Je devais donc être relâché le 7 octobre 1978. Je n'avais certes nullement l'intention de refuser cette remise de peine, mais je n'avais pas non plus l'intention de rester tout ce temps derrière les barreaux. Je voulais profiter de cette amnistie pour être transféré sur une île. Willard vint me voir et m'aida à remplir ma demande de transfert. Je demandai à aller à Imros, la prison « ouverte » de mes rêves. Mais je savais bien que mes chances de l'obtenir étaient très minces et j'eus la sagesse de demander en second choix la prison d'Imrali, où Charles avait purgé sa peine.

CHAPITRE 22

Le 14 juillet 1975.

Chers parents,

Je suis maintenant à Imrali et je vous écris au grand air, tout étonné de redécouvrir les beautés de la nature, les arbres et la mer, et la brume mauve qui cache parfois l'horizon.

Cette prison est constituée de plusieurs bâtiments anciens qui ont peut-être été un village autrefois. Nous sommes en dortoirs ; la propreté est douteuse mais cela ne me fait plus rien. Je suis donc avec trente autres types mais l'atmosphère est très différente de Sagmalcilar. Tous les prisonniers ont très peu de temps à passer derrière les barreaux et tous ont de bons dossiers. Il y a très peu de bagarres.

Je suis arrivé ici un vendredi, notre jour libre. Vous n'allez pas me croire, mais la première chose que j'ai faite a été de nager. Oui, j'ai nagé dans la mer ! Après cinq années passées à me laver dans un évier, j'ai plongé. C'était extraordinaire !

Je travaille à la conserverie. C'est un vieux bâtiment où l'on met en boîte toutes les variétés de fruits produits dans la région. Pendant ma première journée de travail, nous avons équeuté quarante millions de fraises et nous pouvions en manger autant que nous voulions. Au bout de trois heures passées à m'empiffrer, j'ai dû me précipiter aux toilettes ! Mais c'était merveilleux. Je suis maintenant affecté à la fabrication des couvercles métalliques pour les boîtes et je suis très content de ce poste.

Je suis tout bronzé, ça me donne très bonne mine. Hier et aujourd'hui, je suis resté allongé au soleil de midi à deux heures.

Je ne mange pas les repas de la prison ; je préfère aller sur la plage, tout seul, et rester au bord de l'eau. J'apprécie cette solitude, qui m'est accordée pour la première fois depuis cinq ans, et j'aime rester ainsi à écouter le bruit des vagues et le cri des mouettes.

Il paraît que l'hiver est très rude ici, mais je crois que je peux tout affronter maintenant. C'est d'ailleurs bien peu cher payer pour cette liberté de mouvement que l'on a, sans parler des occasions dont je vous parlerai dans mes lettres suivantes, lorsque je connaîtrai mieux l'endroit.

Je ne cesse de regarder cette photo de toute la famille : Maman a l'air de plus en plus jeune. J'ai été surpris d'apprendre que Papa avait dû couper les arbres du jardin pour laisser le soleil entrer dans la maison. J'avais oublié que les arbres poussent beaucoup en cinq ans !

Lillian doit rentrer à North Babylon le 24 juillet. Je lui ai demandé de vous rendre visite. Elle vous donnera des détails. Lillian m'a aidé à traverser les pires moments. Je me demande s'il nous sera possible un jour d'être ensemble dans les bons moments. J'ai l'impression d'avoir appris à aimer et à donner depuis que je suis ici... C'est trop tard pour Kathleen mais il est peut-être encore temps pour Lillian. Qui sait ? Je suis de toute façon ici pour trois ans encore, en principe. Je vous écrirai la semaine prochaine, lorsque la situation aura décanté. Ne vous faites pas de souci pour moi.

Baisers à vous tous.
Billy.

L'endroit me sembla paradisiaque au premier abord, surtout lorsque je le comparais à Sagmalcilar. Mais les miradors qui surplombaient le port me rappelaient sans cesse que j'étais toujours en prison. La nuit, la plage était balayée par les projecteurs et des sentinelles patrouillaient les lieux. Très vite, je sombrai à nouveau dans la dépression. Pour une prison, cet endroit était idéal. Mais je ne voulais plus être en prison.

Max m'avait dit que je ne pourrais jamais m'évader d'Imrali mais Charles m'y avait encouragé dans ses lettres. *Sula bula.*

En contemplant la mer de Marmara, je me dis que c'était possible. C'est une mer fermée, entaillant le nord-ouest du pays, qui fait communiquer la mer Noire et la mer Égée : au sud, c'est l'Asie, au nord, c'est l'Europe. Imrali est une bande de terre située à une trentaine de kilomètres environ de la côte.

Un courant violent balaie l'île en se dirigeant vers le détroit des Dardanelles.

Pendant les premiers jours, la mer était si calme que je pensais qu'il me serait possible de gagner la terre en parcourant à la nage les trente kilomètres qui me séparaient d'elle. Mais je serais alors toujours en Turquie, et plus éloigné que jamais de la frontière grecque. Je consultai ma carte de la Turquie. Bursa était la ville la plus proche ; de là, je pourrais prendre un bus pour Istanbul où j'espérais pouvoir trouver Johann qui devait m'aider à quitter le pays.

Tous les vendredis, un bac amenait à Imrali quelques nouveaux prisonniers et des visiteurs. Une semaine après mon transfert sur l'île, j'eus la surprise de voir ainsi arriver mon avocat, Mike Griffith, et Joey à la grosse moustache.

Le vendredi était notre jour de repos. Les prisonniers qui avaient des visites restaient dehors à l'ombre dans un petit jardin.

— Je n'ai jamais vu autant de mouches, dit Mike avec un grand geste de la main.

— Je n'avais même pas remarqué qu'il y avait des mouches, répondis-je en riant. Au bout de cinq ans, on ne fait plus attention.

Joey m'offrit une cartouche de Winston ; il avait oublié que j'avais arrêté de fumer.

— Comment vas-tu ? me demanda-t-il.

— Bien. Je nage tous les jours.

— Tu plaisantes ?

— Non !

— C'est une chouette prison, commenta-t-il en regardant autour de lui.

Joey travaillait maintenant sur un bateau qui proposait aux touristes des promenades sur le Bosphore.

Mike sortit une liasse de papiers officiels de sa serviette.

— J'ai parlé avec ton père, me dit-il. Nous savons tous deux quel train tu attends et nous ne voulons pas que tu prennes de risques.

— Je serai prudent, dis-je en haussant les épaules.

— Billy, tout est prêt. Si tu nous laisses utiliser ton dossier psychiatrique, nous pensons pouvoir convaincre le gouvernement turc d'autoriser ton transfert aux États-Unis. Nous ne voulons pas que tu gâches tes chances en tentant une folie ici.

— Bien sûr que vous pouvez utiliser mon dossier médical.
Pourquoi pas ? Je suis favorable à toute idée qui me permettra
de rentrer chez moi.

— Alors tu vas attendre tranquillement ? me demanda Mike,
soulagé.

— Je ne peux rien te promettre.

La matinée passa trop vite à mon gré. J'étais heureux de parler avec mes amis. Dès que Mike alla aux toilettes, Joey et moi
passâmes aux choses sérieuses.

— Que te faut-il ? me demanda-t-il.

— Un bateau. Je peux me promener sur l'île jusqu'à dix heures du soir.

— Je vais voir ce que je peux faire. Il me faudra peut-être un
certain temps.

— Dépêche-toi, Joey. Nous sommes en juillet : je veux partir
d'ici avant les grands froids. Charles m'a dit que la mer est très
mauvaise en hiver.

— D'accord. Je t'écrirai.

— Quelle odeur dans les toilettes ! dit Mike en revenant.
Comment arrives-tu à supporter cela ?

Je me mis à rire ; Mike n'y comprenait rien.

— Mike, le ministre de la Justice vient demain nous rendre
une visite exceptionnelle et on vient de nettoyer les toilettes.
Elles sont vraiment très propres aujourd'hui.

— Eh bien, je suis ravi de ne pas les avoir vues en temps
normal. En plus, il n'y avait pas de papier.

— On n'utilise pas de papier en Turquie.

— Comment font les gens ?

— Ils se servent de leurs doigts. Et de l'eau...

— Ça suffit. Je me retiendrai jusqu'à ce qu'on soit rentré au
Hilton.

Au moment de partir, Mike se retourna une dernière fois vers
moi.

— Bill, je t'en supplie, me dit-il. Ne quitte pas cette île.
Laisse-moi une chance d'obtenir ton extradition ; ne gâche pas
tout. Tu risques d'en prendre encore pour dix ans ou d'être
tué.

— Mike, pourquoi me parles-tu sans arrêt d'évasion ? Crois-tu vraiment que j'aie envie de prendre d'aussi gros risques ?

— Je le devine sur ton visage, Billy.

— Mike, dis-je en baissant la voix, tu as fait du bon boulot

194

pour moi. Si on n'avait pas eu la poisse, je devrais être chez moi depuis longtemps. Alors, je t'en prie, continue à t'occuper de mon cas et fais-moi confiance.

Je décidai d'attendre. Je prendrais ce qui se présenterait en premier : la solution de Mike ou l'aide de Joey. Mais après cinq années de déceptions avec le gouvernement turc, je ne pouvais m'empêcher de douter de l'obtention de l'extradition. L'évasion me semblait la seule façon de quitter ce lieu.

Les autres prisonniers pensaient que j'attendais la signature d'un accord officiel entre les gouvernements turc et américain qui me permettrait d'être extradé. Personne ne soupçonnait mes projets d'évasion alors que j'étais si près de la quille. C'était ce que je voulais : j'avais toujours le souvenir du comportement de Weber et de Jean-Claude avant leur évasion.

Je me portai volontaire pour de durs labeurs. Toute la journée, je transportais des sacs de cinquante kilos de haricots de la conserverie aux véhicules. Cela me laissait sans forces mais je sentais que mes muscles, qui dépérissaient depuis cinq ans, reprenaient de la vigueur. Pendant la pause de deux heures pour le déjeuner, je me forçais à nager pour entretenir ma forme et, le soir, je parcourais des kilomètres sur les sentiers de l'île.

Tous les vendredis, j'attendais impatiemment le bateau qui apportait le courrier, espérant recevoir un mot de Mike ou de Joey.

Les semaines passèrent. Aucun signe du monde extérieur. Un jour enfin, j'eus une lettre de mes parents ; je devinais les larmes qui se dissimulaient derrière chaque mot. Mon père me suppliait d'attendre d'être extradé et, de toute façon, même si rien ne venait, de ne rien tenter. Il essayait de m'expliquer que ces trois années passeraient vite et qu'elles ne valaient pas la peine de risquer d'être tué ou d'être condamné à dix années de prison supplémentaires pour tentative d'évasion.

Mais j'avais déjà examiné ces arguments depuis longtemps, et j'en avais conclu que personne ne pouvait vraiment comprendre ma situation, à moins d'avoir passé cinq ans derrière les barreaux. Je répondis à mon père que je ne ferais rien tant que je ne serais pas absolument certain de pouvoir mener mon projet jusqu'au bout, c'est-à-dire jusqu'à la maison.

D'autres semaines passèrent. Je reçus enfin une carte postale de Joey ; il m'annonçait sa visite pour le vendredi suivant. Je reçus également ce jour-là un mot de Mike, qui me disait que je ne tarderais pas à être extradé et que je devais prendre patience.

Joey vint le jour dit.

— J'ai un bateau pour toi, me dit-il. Mais le moteur a besoin d'être réparé. Il me faut de l'argent.

— Combien ?

— Quarante ou cinquante mille livres.

J'allai chercher mon journal ; Joey repartit avec deux mille dollars dissimulés dans sa manche en m'annonçant qu'il reviendrait la semaine suivante pour mettre au point les derniers détails.

Ce soir-là, un violent orage s'abattit sur l'île. Je grimpai au sommet de la colline pour regarder la mer se jeter sur les vieux docks en bois au-dessous de moi. Soudain, de nombreux bateaux affluèrent dans le port pour se protéger de l'orage. Les embarcations de pêche étaient de toute évidence trop grosses pour que je les manipule tout seul, mais chacune d'entre elles remorquait un canot pneumatique. Je me dis aussitôt qu'il me serait peut-être possible de ramer jusqu'à la terre malgré l'orage.

Ces canots m'obsédèrent toute la nuit. Le vendredi suivant arriva enfin : Joey n'était pas dans le ferry. Je n'avais pas de nouvelles de Mike. Je me demandai si Joey m'avait fait faux bond, et si l'extradition aussi allait tomber à l'eau.

Puis, un matin, je me réveillai tôt pour faire mon yoga : je remarquai immédiatement la fraîcheur particulière de l'automne, qui serait bientôt suivi par les tempêtes glaciales de l'hiver. Si je ne me décidais pas tout de suite à partir, je serais encore bloqué ici pour six mois. Or, je savais que je ne supporterais pas un hiver de plus.

Cinq ans plus tôt, je m'étais mis tout seul dans ce pétrin. Pendant cinq années, j'avais attendu l'aide de ma famille, de mes amis, de mes avocats. J'avais maintenant vingt-huit ans. Je compris qu'il était temps de prendre la situation en main tout seul.

— Il est temps, me dis-je à voix haute dans l'air frais du matin.

CHAPITRE 23

Le 28 septembre 1975.

Cher Papa,

C'est peut-être la dernière lettre que je t'écris. J'attends jour après jour les conditions météorologiques idéales qui me permettront de passer à l'action. Je vais t'expliquer mon projet. Il y a, comme nous l'avons déjà dit, des avantages à réserver une place dans plusieurs trains, à condition qu'ils aillent tous dans la même direction. Le train de transfert me semble un peu long, et sujet à trop de retards depuis deux ans.

Je connais un autre train dans lequel j'ai l'intention de sauter avant qu'il ne soit trop tard et qu'il ne fasse trop froid. Après cinq années derrière les barreaux, je n'ai plus la patience d'attendre jusqu'au printemps. Je sais bien que tu vas me répondre qu'« un tiens vaut mieux que deux tu l'auras ». Ne crois surtout pas que je n'ai pas pensé à votre angoisse en cas de déraillement. Mais il faut que j'agisse... Ne m'écris rien de compromettant, je t'en prie. Je suis à la gare et j'attends, tout comme toi.

Baisers affectueux pour vous deux, Papa et Maman, et pour toute la famille.

Billy.

Le soir, après ma journée de travail, je me précipitai à l'intérieur du bâtiment pour mes derniers préparatifs pendant que les autres dînaient. Je mis des vêtements foncés, en l'occurrence mon jeans et mes tennis que j'avais teints à l'encre pour ma tentative d'évasion avec Harvey. Je pris ma précieuse carte

197

de la Turquie, soigneusement protégée avec de la cire et la mis dans ma sacoche en cuir avec mon carnet d'adresses et les maigres économies que Joey m'avait laissées ; il me restait environ quarante dollars en livres turques. Puis j'enfilai un pull à col roulé bleu marine et allai vérifier par la fenêtre que personne ne rôdait dans les parages. Je sortis alors un couteau de dessous mon matelas, terrorisé à l'idée d'être surpris avec une arme, ce qui était un délit très grave. J'avais volé ce couteau à la conserverie, je l'avais caché sous une pierre dans le verger, puis hier, je l'avais transporté jusque sous mon lit. Dès lors, il n'avait cessé de m'empêcher de dormir. Je le glissai en tremblant dans la poche de mon jeans et pris mon chapeau.

Je ne pouvais pas rester à attendre un bateau sur le quai. Mon idée était d'utiliser l'une des cuves servant à entreposer les tomates : je savais que celle du bout était vide et que je pourrais m'y cacher chaque nuit pour surveiller l'arrivée des bateaux, à l'abri des patrouilles. Tôt ou tard, une nouvelle tempête ramènerait des embarcations dans le port.

J'attendis la tombée de la nuit, puis je fis mine de partir en promenade, comme d'habitude, et je me rendis près des cuves à tomates ; un regard circulaire me permit de vérifier que personne ne m'avait vu. Je sautai dans la cuve.

Il y faisait froid et noir. Je m'accroupis au fond. Le ciel s'assombrit au-dessus de moi. De temps en temps, je jetais un coup d'œil au-dehors. Je savais bien que le beau temps qui régnait n'inciterait guère les pêcheurs à rentrer leurs bateaux à l'abri mais j'espérais tout de même.

J'entendis soudain le pas régulier d'une sentinelle et je priai pour qu'il ne regarde pas à l'intérieur de la cuve. Mais elle s'éloigna tranquillement.

A dix heures, je conclus que l'expédition ne serait pas pour ce soir. Je rentrai dans mon bâtiment avant le couvre-feu. Personne ne comptait les prisonniers avant l'aube, mais je préférais ne pas prendre de risques inutiles.

Je refis ce manège tous les soirs pendant une semaine. Les journées ensoleillées de l'été indien étaient suivies de soirées paisibles.

Enfin, le jeudi 2 octobre, je fus réveillé par le bruit du vent et de la pluie contre les vitres du dortoir. Mon cœur se mit à battre à tout rompre lorsque je découvris le ciel chargé. Je compris que le jour était arrivé. La tempête ne fit qu'empirer pendant la soirée. Je vis les embarcations arriver l'une après l'autre et jeter

198

l'ancre dans le port. Je priais de tout cœur pour que le temps ne s'éclaircisse pas trop vite.

Je préservai mes forces toute la journée en prévision des nombreuses heures pendant lesquelles il me faudrait ramer. A six heures, lorsque les gardiens annoncèrent la fin de la journée de travail, la pluie avait cessé mais le ciel était toujours menaçant et le vent violent. Les bateaux étaient de plus en plus nombreux. Je me rendis dans le dortoir pour les derniers préparatifs.

Lorsque l'île d'Imrali fut plongée dans l'obscurité, je sautai dans la cuve à tomates. Un projecteur balaya la prison mais je connaissais maintenant sa trajectoire. Dans le port les embarcations étaient éclairées.

J'attendis l'heure du couvre-feu pour être sûr de ne rencontrer personne. Mon projet était de nager jusqu'au bateau de pêche le plus éloigné du quai, de détacher son canot et de ramer jusqu'au rivage de l'Asie.

Le temps s'écoulait lentement. Je dus satisfaire un besoin naturel à l'autre extrémité de la cuve ; je ne voulais pas m'exposer au danger d'être repéré par une sentinelle. Je n'étais de toute façon plus incommodé par ce genre d'odeurs.

J'avais l'impression d'être là depuis des jours et des jours. Et pourtant il n'était que huit heures du soir. Je fis un effort pour me détendre, tentant de me représenter tout ce que je pourrais faire dès que je serais libre. Je pensais à Lillian, à mes parents ; je m'imaginais marchant dans les rues, comme un homme libre. Il fallait que je réussisse.

Soudain j'entendis des pas ; je retins mon souffle. Un gardien s'approcha des cuves et s'arrêta juste devant celle qui m'abritait. Il promena sa torche un instant au-dessus de moi puis s'éloigna.

La pluie recommença à tomber ; j'étais trempé jusqu'aux os, me pelotonnant dans le fond de la cuve pour me protéger.

A dix heures et demie, je sortis la tête pour voir ce qui se passait. La tempête faisait rage. Je pris une profonde inspiration et passai une jambe à l'extérieur de mon abri.

Mais j'entendis un bruit et rentrai immédiatement dans la cuve. Au loin, un chien aboya. Je vis, en pensée, le mirador et la mitrailleuse.

Dix minutes plus tard, je fis une seconde tentative. Mais, de nouveau, un bruit me fit faire marche arrière. Je me mis à trembler de peur.

Je me dis que cette peur était le fruit de mon imagination,

199

tout en me demandant comment j'allais trouver le courage de mener mon plan à terme.

Pour la troisième fois, je sortis une jambe en me faisant violence.

Le chemin qui conduisait au port était encombré de cailloux et de morceaux de tomate pourris. La terre était détrempée. Je rampai dans la boue jusqu'au quai, exposé aux projecteurs qui passaient régulièrement au-dessus de ma tête.

Lentement, j'arrivai jusqu'à l'eau et abordai la partie la plus dangereuse de mon expédition. Les quatre-vingts premiers mètres de mer étaient complètement à découvert, sous le mirador. Je vis un gardien manœuvrer le projecteur, un autre faire les cent pas avec une mitraillette. Même avec le bruit des vagues et du vent, il me faudrait être très prudent.

Je me glissai dans l'eau froide. Le projecteur balaya le port. Je m'éloignai du quai en pensant avec émotion que cette évasion, objet de tous mes rêves, avait enfin commencé. Je ne pouvais plus reculer maintenant.

Je nageai lentement, pour éviter de faire des remous. Mes vêtements me gênaient ; une vague me gifla, me faisant avaler de l'eau salée qui me brûla la gorge. Mais je continuai à nager en sortant à peine ma tête hors de l'eau.

Lorsque je décidai de m'arrêter un instant pour reprendre mon souffle, je vis que les lumières du port étaient loin derrière moi. Seules les lanternes dansantes des bateaux me signalaient leur présence. Je voulais nager jusqu'à l'embarcation la plus éloignée.

Je dus me battre contre les vagues déchaînées, m'arrêtant plusieurs fois pour respirer et vérifier ma position. J'atteignis enfin le dernier bateau, qui avait derrière lui un minuscule canot pneumatique. Pourrait-il résister à cette tempête ? Il le fallait.

Je me hissai dans l'embarcation de fortune et m'affalai, épuisé, au fond. Je restai ainsi plusieurs minutes, tremblant de froid, le souffle coupé. Je fus soulagé de constater qu'aucun bateau de patrouille ne m'avait repéré.

L'avant du canot était couvert et m'offrait ainsi un abri. Je découvris les rames, qui étaient très lourdes. Soudain, j'entendis un bruit de fenêtre qui s'ouvrait. Au-dessus de moi, un pêcheur toussa et cracha dans l'eau. J'eus l'impression que mon cœur avait cessé de battre. Mais la fenêtre se referma.

Lentement, je me glissai dans l'abri à l'avant du canot, tremblant de froid dans l'eau glacée qui recouvrait le fond. Je me mis en boule, mais mes jambes dépassaient toujours. Je décidai donc de partir de là avant que le pêcheur ne rouvre sa vitre. Je repérai au-dessus de ma tête un gros nœud qui me permit de localiser la corde qui attachait le canot au bateau. Je saisis mon couteau pour couper la corde mouillée : l'opération me prit une éternité. J'étais épuisé. Dès que le bateau fut libre, il se mit à dériver en direction d'une autre embarcation de pêche. J'étais mort de peur. Je mis les rames en position et tirai. L'une des rames frôla l'eau et le canot fit une embardée. Je m'assis bien au centre pour placer les rames dans le bon sens. Je me mis à tirer et le canot avança lentement. L'effort était intense dans cette mer furieuse. Souvent les rames ne touchaient même pas l'eau, et je devais me pencher dans chaque sens pour ne pas basculer. Mais je finis par prendre appui avec les pieds et, au bout de quelques minutes, je réussis à trouver un rythme régulier.

Je devais donc arriver au bout de l'île en évitant les énormes rochers qui encombraient la baie et les bateaux de pêche ancrés plus au sud. Il me fallait diriger mon canot en tenant compte de ces deux obstacles. La pluie, qui tombait en rafales violentes, m'effrayait et me protégeait à la fois.

Mes muscles, endurcis par le yoga et le chargement des sacs de haricots, me furent d'une aide précieuse pour m'éloigner de l'île. Les lanternes des bateaux ne furent bientôt plus que de petits points colorés dans l'obscurité. Je veillai à ne pas les perdre de vue pour ne pas m'égarer.

Le courant était beaucoup plus fort en pleine mer et avait tendance à faire dériver mon canot vers l'ouest ; les vagues m'aveuglaient et mes yeux me brûlaient. Je sentais mes forces s'amenuiser. Mais je savais que derrière moi, dans la tempête, à une trentaine de kilomètres, se trouvait le continent.

Je ramai jusqu'à l'épuisement, vérifiant de temps en temps ma position. Je faillis lâcher une rame aspirée par le courant. Je n'en pouvais plus. Je posai les deux rames sur le fond du canot et je laissai dériver la minuscule embarcation. J'avais l'impression qu'il me faudrait des jours pour atteindre ainsi la côte, si toutefois j'avais la chance de ne pas couler. Je respirais de plus en plus difficilement tandis que mon canot était de plus en plus secoué par les vagues au sommet desquelles il restait parfois suspendu quelques instants avant de faire un plongeon terrifiant.

Cette peur toutefois était différente de celle que j'avais connue jusque-là. Si je mourais dans cette expédition, je pourrais au moins me dire que je mourais libre. Ce mot seul me redonna une force nouvelle. Pour la première fois depuis cinq ans, je n'étais plus derrière des barreaux, et cette pensée me remplit de joie. J'étais libre. Il ne me restait plus qu'à rester en vie, à arriver sain et sauf jusqu'à la terre ferme et à poser mes pieds sur le sol.

Je me remis à ramer avec force pour réorienter le canot dans la bonne direction, reprenant un rythme régulier. Pour soutenir mon effort, je me mis à chanter à tue-tête :

« S'ils m'attrapent,

Ils me battront...

Ils me tueront...

Mais si j'y arrive...

Je serai libre...

Libre... Libre... »

J'attendais ce moment depuis cinq ans : je tiendrais le coup. Je dus ramer deux fois plus fort avec mon bras droit pour ne pas être entraîné vers l'ouest, tout en continuant à chanter et à me crier des paroles d'encouragement en anglais et en turc.

Les heures passèrent, froides et noires. Ma main droite, que naguère Hamid avait blessée avec son bâton, me faisait mal. L'eau salée brûlait mes doigts couverts d'ampoules.

Cessant de ramer, je constatai que les doigts de ma main droite ne répondaient plus : je les enveloppai dans un mouchoir que je serrai avec les dents et repris mon effort. Je ramais avec une détermination féroce, obsédé par la nécessité de continuer, de garder le rythme. Mon corps cessa peu à peu de se manifester. J'étais désormais au-delà de la douleur, mu par un tel désir de liberté que j'étais dans un état second.

J'approchais des lumières de la côte, conscient d'être très près du but. La tempête se calma ; à l'est, le ciel prenait une teinte bleutée.

Une heure plus tard, la rame cogna le fond puis le canot toucha le sable ; une petite vague lui fit faire un bond en avant. L'embarcation s'immobilisa. Je descendis et courus sur la plage, où je tombai à genoux.

***

Mais j'étais toujours en Turquie.

Mon objectif était maintenant d'atteindre la ville de Bursa : je savais, d'après la carte, qu'elle se trouvait quelque part au nord-est près de la côte, qu'il y avait environ 250 000 habitants et que je pourrais m'y perdre aisément. De Bursa, je pourrais me rendre à Istanbul chez Johann qui me cacherait une quinzaine de jours, jusqu'à ce que les recherches soient abandonnées.

Je pensai alors qu'un pêcheur ne tarderait pas à remarquer la disparition de son canot, et en aviserait les gardiens de la prison qui se hâteraient de compter les prisonniers : il me fallait éviter de perdre du temps.

Ma montre, qui marchait toujours, m'indiqua qu'il était cinq heures du matin. Je me mis en route, réchauffé et revigoré par le soleil levant. Devant moi s'étendait la côte désertique d'Asie mineure. C'était le plus beau matin de ma vie.

Je me mis à courir, ignorant la fatigue et la faim : chaque pas m'éloignait de la prison et des gardiens.

Mes vêtements séchèrent au soleil. La peau de mes bras et de mon visage était couverte de sel. Ma bouche était en feu.

Je dus bientôt entrer à nouveau dans l'eau pour contourner d'énormes rochers qui barraient la plage. J'aperçus alors un village moderne au sommet d'une colline, tout à fait insolite dans ce paysage désolé. Ces trois tours étaient-elles les points lumineux qui m'avaient guidé dans la nuit ?

Je compris soudain que c'était là une base militaire. Je fis demi-tour et décidai de la contourner en passant pas les terres et en me cachant dans les bois.

Je marchai pendant une autre heure. Je devais être très prudent car sûrement l'alarme avait dû être donnée. Je regrettai de n'avoir pas pensé à raser ma moustache blonde avant de partir et d'avoir oublié de prendre du cirage sombre pour foncer la couleur de mes cheveux.

J'aperçus des paysans qui labouraient leur champ puis, au détour d'une route, un petit village. J'y entrai prudemment. Un vieil homme à la barbe blanche imposante était appuyé contre un mur, occupé à tirer sur sa pipe.

— Je voudrais me rendre à Bursa, lui dis-je.

Le vieillard me regarda, m'identifiant immédiatement comme un *turist*, un hippie étranger, avec mon pansement sale et mes vêtements boueux.

— Où avez-vous appris le turc ? me demanda-t-il.

— J'ai passé vingt mois dans une prison d'Istanbul pour trafic de hasch, répondis-je après une hésitation.

— Et que faites-vous là ? me demanda-t-il avec un sourire.

— J'étais sur une plage avec des amis. Mais j'ai bu trop de *raki* la nuit dernière et je me suis perdu. Il faut que je rentre à Bursa.

Du bout de sa pipe, il me désigna un vieux bus Volkswagen au bout de la rue étroite.

— Il va à Bursa, me dit-il.

Le toit du bus était couvert de sacs contenant des oignons, des olives et autres produits locaux ; le véhicule était bondé de fermiers. J'allai trouver le chauffeur :

— Bursa ?

— Six livres.

Après avoir payé, je me mis au fond près de la vitre, enfonçai mon chapeau et tentai de cacher ma moustache en mettant ma main devant ma bouche.

Le bus cahota sur la route boueuse qui grimpait vers Bursa. Le vieux chauffeur négociait ses virages à vive allure : pour moi qui n'étais pas monté dans un véhicule depuis si longtemps, la promenade était effrayante. Je pensai qu'il serait stupide de mourir sur la route, juste au moment où je retrouvais ma liberté.

Nous nous arrêtâmes plusieurs fois pour laisser descendre les paysans qui allaient vendre leurs produits au marché ; plus le bus se vidait, plus le chauffeur accélérait l'allure.

Nous arrivâmes enfin à Bursa ; c'était la seule ville de cette importance sur la côte. Les rues étaient poussiéreuses, bordées de bâtiments de style turc avec, de temps en temps, un immeuble de type occidental. Il était dix heures : on avait dû découvrir mon absence. J'approchai d'un taxi :

— Istanbul ? demandai-je au chauffeur.

— Sept cents livres.

— Quatre cent cinquante.

C'était tout ce que j'avais.

— *Yok*. Sept cents.

Le chauffeur me montra alors la gare routière.

— Vingt-cinq livres, m'expliqua-t-il.

Certes, mais je ne voulais pas m'approcher de la gare routière, convaincu que c'était l'un des endroits où je serais recherché. Les policiers que je voyais en faction avaient peut-être une description de moi. Cependant, je n'avais pas le choix : il fallait que je me rende à Istanbul et que je trouve Johann, et plus j'attendais, plus je prenais de risques.

Je me dirigeai donc vers la gare, passant devant un policier somnolent. Je pris un billet pour Istanbul au guichet où l'on me dit que le bus partirait dans une demi-heure ; j'allai m'acheter des biscuits et du chocolat. Pour monter dans le bus, je dus passer une nouvelle fois devant les policiers qui ne firent nullement attention à moi. Je m'installai au fond du bus, le cœur battant, priant le ciel de me laisser arriver sain et sauf à Istanbul.

J'avais l'impression que le bus ne partirait jamais ; lorsque enfin il s'ébranla, je poussai un soupir de soulagement.

Le bus cahota sur la route dans le brouhaha ; les mouches s'en prirent à mes biscuits.

Nous arrivâmes à Usküdar, d'où l'on voyait déjà les minarets d'Istanbul qui dominaient la colline. C'était là que tout avait commencé. Le bus traversa le pont Yeni Kopru : j'étais désormais en Europe.

Il était presque midi. J'étais complètement surexcité, certain que la police turque me recherchait à cette heure. Je me perdis dans la foule de la gare routière.

Dès que je me fus suffisamment éloigné de l'endroit, je jetai un regard en arrière : deux policiers montaient tranquillement la garde à l'entrée de la gare. Rien d'inquiétant.

Je pris un taxi pour me rendre à l'hôtel de Johann. Ce n'était de toute évidence pas le *Hilton*.

J'enlevai mon chapeau un peu voyant et entrai ; un Turc chauve était assis à la réception.

— Johann, lui dis-je. Je cherche Johann.

— Johann ? dit-il en jetant un coup d'œil à mon accoutrement. Johann est parti hier pour l'Afghanistan.

CHAPITRE 24

J'étais glacé, paralysé. Johann en Afghanistan ? Mais pourquoi donc, juste au moment où j'avais le plus besoin de lui ?

J'errai dans les rues pendant une demi-heure avant de me souvenir que je devais me cacher. Je décidai alors d'acheter un tube de teinture à cheveux, puis je me dirigeai vers un hôtel modeste.

— Je voudrais une chambre, demandai-je en turc au réceptionniste.

— Où sont vos bagages ? me demanda-t-il en me dévisageant.

— On me les a volés.

— Et votre passeport ?

— Volé aussi. Il était dans ma valise.

— Vous parlez turc ? insista-t-il.

— Oui. J'ai fait un petit séjour en prison. *Tamam ?*

— *Tamam*. C'est cinquante livres pour la chambre.

Je protestai que c'était trop cher pour un trou comme cela, mais je finis par payer.

L'employé me tendit la clé en souriant.

La chambre était située au deuxième étage : c'était le paradis des cafards. Je me mis immédiatement à préparer la teinture. La mixture sentait l'ammoniaque. La notice recommandait de faire d'abord un essai à l'intérieur du poignet et d'attendre vingt-quatre heures pour le cas où le produit causerait une réaction allergique ; je n'avais bien évidemment pas le temps de prendre une telle précaution.

A l'aide d'un morceau de coton, j'étalai la crème sur mes cheveux et ma moustache. Mes mains tremblaient et je me mis

206

plusieurs fois du produit sur le visage. A la fin de l'opération, je me regardai dans la glace. Mes cheveux étaient bizarres, mais tout à fait possibles à Istanbul. Ma moustache en revanche avait l'air d'un morceau de réglisse au-dessus de ma bouche : je décidai de la couper.

Je ressortis dans la rue bondée pour acheter un rasoir et une lame. Mon visage était vraiment nu sans moustache, elle avait laissé une trace blanche sur ma peau bronzée.

Je me laissai aller sur le lit, épuisé, et m'endormis rapidement. Mais pas pour longtemps : chaque bruit de pas dans l'escalier me faisait sursauter. Je jetai un coup d'œil par la fenêtre de derrière : des marches abruptes conduisaient à une petite allée. C'était dangereux, mais possible. Je m'allongeai à nouveau et finis par me rendormir.

Dès le matin, j'examinai mes cartes avec attention. Je savais, pour en avoir parlé d'innombrables fois en prison, que la route qui quittait Istanbul à l'ouest conduisait à Edirne et que cette voie était dangereuse car le poste frontière était important et très bien gardé. Or je n'avais pas de passeport, et les douaniers devaient maintenant tous avoir ma description.

Mais je savais qu'au sud d'Edirne se trouvait la ville d'Uzun Kopru. Max m'avait souvent dit que la campagne était particulièrement désertique dans cette région. La rivière Maritas descendait des montagnes bulgares et formait la frontière entre la Turquie et la Grèce ; l'endroit était moins surveillé que le poste d'Edirne.

L'autre possibilité était de prendre le train entre Edirne et Uzun Kopru : il traversait la frontière et parcourait quelques kilomètres en Grèce. Mais je n'avais pas assez d'argent pour le billet et la gare me semblait un lieu trop dangereux. Et de plus, comment saurais-je où sauter du train ?

Je pris donc la décision de prendre un bus jusqu'à Uzun Kopru et, là, de me débrouiller pour franchir la frontière. Un tram me conduirait à la gare routière située dans la banlieue d'Istanbul.

**

Le ciel était d'un bleu limpide ce matin-là et les rues étaient déjà incroyablement bondées pour sept heures du matin. J'achetai un journal et me mêlai à la foule qui traversait le pont de Galata. Mes vêtements étaient chiffonnés, mes yeux injectés de sang. La peau à l'endroit de ma moustache était rouge tant j'avais frotté pour enlever les traces de teinture. Je sentais la sueur et la mer. Pour la première fois depuis cinq ans, j'avais probablement l'air d'un Turc.

A l'arrêt du tram, des policiers montaient paresseusement la garde. Je me dis que, s'ils me recherchaient, ils ne dévisageraient que les blonds à moustache, mais cela ne me rassura qu'à moitié. Il valait mieux être très prudent. Je pris donc place dans le tram et me plongeai immédiatement dans la lecture de mon journal, pour voir si mon évasion y était mentionnée. Je fus soulagé de constater qu'elle ne l'était pas.

La gare routière était noire de monde. Les gens s'entassaient sur le parking poussiéreux et se bousculaient pour monter dans les vieux bus délabrés.

Je m'achetai une pomme et m'assis sous un arbre pour réfléchir. Je regardai mon journal de plus près. Je compris alors que c'était le premier jour de *Sugar Bayram*, une fête de quatre jours qui célèbre la fin du Ramadan. Les gens se rendaient visite, comme chez nous pour Noël.

Je me mêlai aux voyageurs qui désiraient acheter un billet. Lorsque mon tour arriva, le guichetier m'annonça que le bus pour Uzun Kopru était plein.

— Mais je paierai plus cher, insistai-je. Donnez-moi un billet.

— C'est complet, me dit-il sèchement.

— Bien. Donnez-moi un billet pour Edirne, s'il vous plaît.

J'étais soucieux de ne pas attirer l'attention ; je payai et compostai mon billet, puis j'allai m'asseoir dans le bus à côté d'une grosse femme qui sentait l'ail.

Qu'allais-je faire ? Je ne pouvais pas prendre le risque de passer la frontière à Edirne. Un coup d'œil à la carte m'indiqua qu'Edirne était à une soixantaine de kilomètres d'Uzun Kopru. La région avait l'air accidentée et je me dis que je pourrais peut-être passer en Grèce par quelque sentier de campagne. Mais ma carte n'était pas assez précise et ne me permettait pas d'évaluer exactement la ligne de frontière.

Malgré la fraîcheur de ce matin d'octobre, l'air empesta vite dans le bus cahotant. Je tentai, en vain, de me détendre : chaque fois que le bus ralentissait, j'avais peur que nous soyons arrêtés par l'armée. Il me faudrait attendre d'être en Grèce pour pouvoir me décontracter. Je fermai les yeux et rêvai à un bon bain chaud : ce serait merveilleux, après ces cinq années de crasse, de plonger dans une baignoire pleine d'eau.

Je me réveillai en sursaut : il se passait quelque chose, le bus s'était arrêté brutalement. J'aperçus un policier debout au milieu de la route qui faisait signe au chauffeur. Jetant un coup d'œil rapide à l'intérieur du bus, je vis qu'il n'y avait qu'une seule porte : j'étais coincé.

La portière s'ouvrit pour laisser monter le policier, qui jeta un coup d'œil aux passagers. Je me plongeai immédiatement dans la lecture de mon journal en le surveillant du coin de l'œil. Son corps imposant bloquait entièrement l'issue : pour quitter le bus, il fallait donc passer devant lui.

Il demanda les papiers du chauffeur et les regarda de près, puis, après un dernier coup d'œil aux passagers, descendit.

J'osais à peine me réjouir, certain que l'on me recherchait, même si les journaux ne relataient pas mon évasion.

Je bénis les gros nuages blancs qui s'amoncelaient : un orage ne pourrait que m'aider. Les intempéries m'avaient déjà été favorables.

Le bus arriva à Edirne vers midi. C'était un gros bourg sale et grouillant de monde. Je décidai d'attendre l'après-midi pour prendre la direction du sud afin de franchir la frontière en pleine nuit. En attendant, je me perdis dans la foule.

Je me promenai dans les rues patrouillées par la police, je bus du thé et m'achetai des fruits dans un marché couvert. En toute autre circonstance, j'aurais apprécié cette promenade. Max m'avait souvent parlé d'Edirne qui s'appelait autrefois Andrinople à l'époque où elle appartenait aux Grecs. Comme j'aurais voulu que cette ville soit encore grecque ! Des hauteurs de la ville, je vis d'ailleurs l'autre côté de la frontière, la liberté.

L'armée et la police étaient omniprésentes ; je ne cessais de marcher, comptant sur mes cheveux teints et mon ange gardien pour me protéger.

A la fin de l'après-midi, je me dirigeai vers le marché où je cherchai un taxi dont le chauffeur aurait l'air honnête. J'en pris un qui avait les cheveux longs.

— J'ai des amis qui campent au sud de la ville, lui dis-je. Je devais les retrouver ici ce matin mais nous avons dû nous rater. Pouvez-vous m'emmener là-bas ?

— C'est quarante livres, me répondit-il.

C'était beaucoup pour cette course mais il me restait cent livres et je n'avais guère le temps de marchander.

Nous sortîmes de la ville par une petite route poussiéreuse.

— Où avez-vous appris à parler turc ? me demanda le chauffeur.

Comprenant qu'il n'était pas dupe, je décidai d'être franc joueur.

— Je viens de passer vingt mois en prison à Istanbul.

— Pour du hasch ?

— Oui.

— Vous en voulez ? Ce n'est pas cher.

Ironie du sort ! Je sortais à peine du cauchemar dans lequel m'avait précipité le haschich, et on m'en proposait déjà.

Nous arrivâmes dans un petit village situé à une quinzaine de kilomètres d'Edirne ; je vis sur ma carte que c'était le dernier village avant Uzun Kopru et qu'au sud une étendue de campagne apparemment sauvage s'étendait le long de la rivière formant le territoire frontalier.

Le chauffeur ralentit en voyant des gens sur la route.

— Où est le camping ? leur demanda-t-il.

— Le camping ? répondirent-ils avec étonnement.

Nous approchâmes d'une petite auberge. Le chauffeur s'adressa à des hommes assis sous le porche.

— Personne n'a vu des touristes dans un camping-car ?

J'eus alors la désagréable surprise de voir arriver trois policiers, col ouvert, un verre de bière à la main. L'un d'eux passa sa tête par la fenêtre du taxi ; il exhalait une forte odeur de bière.

— *Noldu ?* dit-il au chauffeur.

— Avez-vous vu des touristes en camping-car ?

Le policier se redressa, jeta un coup d'œil en direction de la route, but une gorgée de bière et fit non de la tête.

Je demandai au chauffeur de reprendre la route. Mais il continua :

— Des touristes. Dans un camping-car Volkswagen.

Le policier haussa les épaules. Je pressai le chauffeur de démarrer. Les policiers allèrent se rasseoir sous le porche et nous reprîmes notre chemin.

A la sortie du village, la route se terminait.

— Je ne peux pas aller plus loin, me dit le taxi.

— Mais mes amis ne sont peut-être pas très loin.

— Non. C'est très mauvais pour ma voiture.

— Éloignons-nous du village. Juste un peu. Je vous paierai en plus.

Il démarra en marmonnant et emprunta l'un des chemins qui serpentaient sur les collines. Nous nous trouvâmes rapidement au milieu d'un champ. Le taxi s'arrêta.

— Je ne peux plus continuer. Rentrons.

— Un instant, je vais voir.

Je descendis du taxi. A perte de vue, il n'y avait que collines et bois ; la rivière devait être en contrebas.

— Bien, lui dis-je. Repartez. Je trouverai mes amis tout seul.

— Je ne peux pas vous laisser ici. Qu'allez-vous faire ? Il commence à faire nuit. Vous ne les trouverez jamais.

— Si, si. Je sais où les trouver.

— Vous êtes fou ? Vous allez vous perdre ici. Vous serez tout seul et...

Un billet de cent livres lui cloua le bec. Il saisit l'argent et fit demi-tour.

— Bonne chance, me dit-il en partant.

Je me hâtai de traverser un champ labouré pour aller me cacher dans un ballot de maïs sec et attendre la tombée de la nuit.

***

J'avais repéré, à l'ouest, une colline plus haute que les autres ; je décidai que ce serait mon premier objectif. Dans les champs qui s'étendaient au loin, je vis des moutons et quelques bergers qui rentraient au village dans les tintements de clochettes. Le bruit portait loin : il me faudrait être totalement silencieux.

Les moustiques m'attaquèrent, et je ne pus les chasser tant ils étaient nombreux. Ils me piquaient même à travers mes vêtements. Je finis par fermer les yeux et par ne plus faire attention à eux, me disant qu'avec un peu de chance c'était la dernière fois que je rassasiais des moustiques turcs. Je tentai de penser à Lillian.

J'aperçus, au sommet de la colline, une lumière qui balayait le paysage. Les gardes frontaliers ! Prudence !

Autour de ma cachette, le sol était couvert de pierres érodées qui rendaient toute course difficile. Je marchais prudemment, m'arrêtant après chaque pas pour tendre l'oreille.

Je m'arrêtai au bout d'une trentaine de minutes, m'apercevant que j'avançais trop lentement. Je décidai de continuer pieds nus et enterrai mes tennis et chaussettes. Si les gardes avaient des chiens, il ne fallait pas laisser de traces.

J'escaladai lentement la colline ; l'entreprise était épuisante et mon corps fut rapidement couvert de sueur. Je tremblais dans la fraîcheur de la nuit, continuant à m'arrêter à chaque pas pour écouter les bruits.

Les projecteurs étaient de plus en plus proches de moi : ils balayaient la zone dans tous les sens, s'éteignant et se rallumant sans raison apparente. Je me demandai si cela était normal ou si les gardes étaient particulièrement attentifs ce soir-là.

Près du sommet de la colline, je tombai sur un fossé d'écoulement des eaux dont la fraîcheur calma la douleur de mes pieds. Au bout de quelques intants, les grenouilles se manifestèrent bruyamment autour de moi.

J'attendis ainsi quelques minutes. J'allais sortir du fossé lorsque soudain j'entendis un bruit de pas. Je replongeai dans la boue et me mis en boule, la tête entre les genoux. J'étais immobile comme une pierre, figé dans une peur panique.

Le bruit de pas se rapprocha. J'entendis des voix qui semblaient chanter. Deux gardes longèrent le fossé en fredonnant une chanson turque ; ils avaient l'air joyeux en cette période de fête religieuse. Ils s'éloignèrent lentement. J'attendis que les grenouilles se remettent à coasser.

Je repris mon ascension vers le sommet sans perdre de temps en précautions inutiles. Je n'entendais plus que le bruit des battements de mon cœur.

Enjambant des massifs broussailleux, je commençai la descente de l'autre côté de la colline. Mes pieds étaient en sang mais cela n'avait plus d'importance. Je me dirigeai vers la droite, le plus loin possible des voix, cherchant la rivière.

Dans l'obscurité, j'aperçus un reflet argenté de métal. J'écartai les branches d'un buisson près duquel je m'étais arrêté, et j'aperçus un énorme tank qui ressemblait à un monstre tapi dans l'ombre. J'en vis alors d'autres, immobiles et inoccupés. Ils étaient camouflés avec des filets et dirigés vers la Grèce. Qui disait tanks disait aussi soldats. Ce n'était pas du tout ce que je recherchais.

Je repris donc ma longue marche dans les bois, en me dirigeant cette fois vers la gauche pour m'éloigner des chars. La forêt se faisait plus dense, je ne voyais plus les étoiles. J'avançais les mains tendues devant moi pour éviter les obstacles.

Je descendais toujours. Le sol était devenu humide et boueux.

J'avançais avec une extrême prudence, déterminé à atteindre mon but.

Enfin j'entendis le doux murmure de l'eau. Les arbres et les buissons se firent plus rares, et je découvris soudain ce que j'identifiai immédiatement comme étant la rivière Maritas. Je m'assis un instant sur la berge avant de me mettre à nager. Le courant avait l'air puissant. J'enlevai les épines qui blessaient mes pieds et je me glissai dans l'eau glacée. La vase qui recouvrait le fond emprisonna mes pieds. Le courant faillit me renverser. Le froid était saisissant. Je me mis à nager très lentement pour éviter tout remous qui aurait pu alerter les soldats, turcs ou grecs, sans doute stationnés sur chaque berge.

Je n'eus soudain plus d'eau que jusqu'à la taille. J'avais atteint l'autre rive. J'étais en Grèce. Déjà ?

Des arbres élancés encombraient la rive. Je les dépassai prudemment, lorsque soudain je sentis à nouveau l'eau. Malgré la faible lumière, je vis que l'eau s'étendait sur plusieurs centaines de mètres : j'étais simplement arrivé sur une petite île. Je n'étais pas encore en Grèce.

J'étais trop près du but pour me reposer et replongeai dans cette eau qui était maintenant très profonde et dont le courant était rapide. Le froid me coupa le souffle mais je me mis à nager avec une folle ardeur vers l'autre rive.

Mon corps finit par oublier la fatigue. Mes bras luttaient contre le courant ; je battais des pieds sans me soucier du bruit. J'étais engagé dans une lutte féroce pour la survie.

Je ne savais absolument pas si j'avançais ou si je luttais simplement contre le courant. Soudain mon genou toucha le fond. Je me mis debout sur mes pieds. Je ne voyais plus la petite île. Le courant m'avait déporté plus au sud. Je ne savais pas du tout où était la frontière.

Je m'affalai sur la berge boueuse, tremblant de froid et de peur. Mais au moins la rivière était derrière moi.

Je passai plusieurs minutes ainsi, immobile. Peut-être même perdis-je connaissance pendant un moment. Puis je me ressaisis à l'idée que je n'étais pas encore libre, que je n'étais peut-être pas encore en Grèce ; je repris la route vers l'ouest.

Encore des bois. J'avançais maintenant comme un somnambule ; depuis trois jours en effet, je n'avais dormi qu'une nuit, d'ailleurs fort agitée, à Istanbul, et l'épuisement s'ajoutait à la faim et au froid. Mes pieds étaient une torture permanente.

Enfin je vis des champs labourés. Mon cœur se mit à battre plus vite.

Derrière moi, le jour se levait timidement. Je me retrouvai sur une route poussiéreuse ; j'aperçus une ferme où des chiens aboyèrent à mon approche.

Je me dis qu'il me fallait quitter cette route, que c'était dangereux, mais la boue qui recouvrait le sol soulageait mes pieds. Je ne pouvais m'arracher à cette douceur.

Conscient du danger, je continuai à avancer d'un pas mécanique. Mes vêtements sales me collaient à la peau ; je tremblais et je toussais sans cesse.

Une rangée d'arbres bordait la route de chaque côté. Je crus voir quelque chose bouger dans l'ombre. Était-ce la fatigue qui me donnait des hallucinations ?

J'avançai sous le tunnel d'arbres. Soudain, une baïonnette s'arrêta à quelques centimètres de mon nez.

— Eh ! hurla une voix aiguë.

CHAPITRE 25

Michael Griffith
1501 Franklin Avenue
Mineola, N.Y. 11501

Le 16 octobre 1975.

Cher Mike,

L'ironie du sort a voulu que votre lettre m'apprenant l'extradition prochaine de Bill dans une prison américaine m'arrive presque en même temps que la nouvelle de son évasion. Vous imaginez aisément nos sentiments, au moment précis où nous pensions voir le bout du tunnel.

Il ne nous reste plus qu'à espérer que tout se passe bien pour lui. Si nous apprenons quoi que ce soit, nous vous en aviserons immédiatement ainsi que la famille Hayes. Je sais bien que vous ferez de même.

Je vous adresse mes sincères salutations.

William B. Macomber,
ambassadeur des États-Unis en Turquie

***

La cellule, de quelques mètres carrés, avait un plafond très haut. Les murs de béton étaient nus, comme dans toute cellule. Je remarquai néanmoins deux différences majeures : l'endroit était propre et grec. En effet, je ne comprenais rien à ce que disaient les gardiens, qui n'étaient donc pas turcs.

Au bout de plusieurs heures, un gardien arriva, me banda les yeux et me conduisit dans un autre bâtiment où il enleva mon bandeau. Je me trouvais dans une petite pièce où un homme en costume était assis derrière une table.

Cet homme parlait très bien anglais ; il se présenta comme un agent des services secrets grecs. Il écouta mon histoire en prenant des notes.

— Faut-il absolument que je sois dans une cellule ? demandai-je. Je vais devenir fou.

Il me regarda longuement dans les yeux puis me répondit calmement :

— Nous avons plusieurs possibilités à votre sujet : ou bien nous vous ramenons à la frontière et vous remettons aux Turcs ; ou bien nous vous jugeons pour être entré sans papiers sur notre territoire ; ou bien encore nous vous reconduisons dans les bois et nous vous tuons. Personne ne le saurait jamais. Ou bien enfin... si vous attendez calmement, nous pouvons nous arranger pour vous extrader vers les États-Unis.

— Bien. J'attendrai calmement.

— Parfait. Il faut d'abord que nous vérifiions si ce que vous nous avez raconté est exact. Si c'est le cas, tout se passera bien. Nous voulons parler avec vous de ce que vous savez de la Turquie.

Les jours passèrent. Tous les soirs, je faisais les cent pas dans ma cellule. Mon interrogateur me prêta des livres en anglais : c'est ainsi que je découvris Hérodote et Nikos Kazantzakis, son auteur préféré, et que je relus *Catch 22* et *Papillon*.

Tous les jours, cet homme venait parler longuement avec moi : il voulait tout savoir de Sagmalcilar et d'Imrali, de la base militaire, de la couleur des uniformes des soldats, des chars que j'avais vus à la frontière. Je fis ces descriptions maintes et maintes fois et il enregistrait tous mes propos, me montrant d'énormes cartes de la région frontalière pour que je lui désigne l'endroit où j'avais traversé.

— Vous avez beaucoup de chance, William.

— Oui, je sais.

— Non, vous ne savez pas. Vous avez eu plus de chance que vous ne le pensez. Toute cette région où vous avez marché est minée. Vous auriez pu sauter comme un rien.

Bénis soient les saints et les fous.

***

216

Deux semaines s'écoulèrent. Je savais que ma famille devait mourir d'inquiétude et j'aurais voulu lui téléphoner, ou appeler Lillian, mais je n'obtins pas la permission de le faire.

Je m'étais évadé d'Imrali dans la nuit du 2 au 3 octobre, et j'avais passé la frontière dans la nuit du 4 au 5 ; le vendredi 17 octobre, enfin, mon interrogateur vint m'annoncer que j'avais été considéré comme dangereux pour la jeunesse grecque et que, par conséquent, j'étais extradé.

Le samedi 18 octobre, je fus conduit à Salonique ; les deux policiers qui m'accompagnèrent ne prirent même pas la peine de me passer les menottes.

En regardant le paysage de la campagne grecque défiler devant mes yeux, je ne pus m'empêcher de remercier les cieux pour cette liberté enfin retrouvée.

Nous arrivâmes tard dans l'après-midi au commissariat de Salonique, où je fus autorisé à appeler le consulat américain ; un jeune homme prénommé Jim arriva immédiatement.

Jim ne vint pas les mains vides. Il m'apporta du poulet frit, des pommes, des biscuits et du pudding, ainsi que l'*International Herald Tribune*, le *Time* et un numéro du *Hurriyet*. Le journal turc présentait en première page une caricature de moi en Monsieur Muscle occupé à couper la corde d'un canot avec un couteau.

Jim me donna également un pull chaud, des chaussettes et une paire de tennis qui lui appartenaient. Il me dit qu'il avait contacté le Département d'État qui devait prévenir mes parents.

Les autorités grecques m'annoncèrent que je pourrais quitter leur sol dès que mon passeport serait prêt, soit le lundi suivant d'après Jim.

— Il vous faut de l'argent, me dit Jim. Puis-je téléphoner à vos parents pour leur en demander ?

— Oui, merci.

— Combien ?

— Juste de quoi rentrer à la maison.

Deux policiers me raccompagnèrent jusqu'à ma cellule qui était assez grande et équipée de toilettes dans un coin. Ce n'était pas très propre mais, comparé à une cellule turque, c'était le paradis. Les gardiens me donnèrent trois couvertures et verrouillèrent la porte.

J'étais extatique ! Bientôt, je serais libre. Mes parents étaient en train de l'apprendre. Dans deux jours je serais dans l'avion. Je me jetai sur le poulet frit.

Deux jours passèrent. J'étais seul dans ma cellule ; j'avais d'ailleurs l'impression d'être le seul prisonnier de l'endroit. Certains policiers, qui parlaient turc, me firent la conversation. Nous devînmes amis dès que je leur appris ce que j'avais fait ; en effet toute personne qui déteste les Turcs est une amie des Grecs.

Le lundi 20 octobre, je fus accompagné au consulat américain. Mon père m'avait envoyé deux mille dollars. Mon passeport était prêt.

— Quand voulez-vous partir ? me demanda Jim avant d'appeler une agence de voyages.

— Quand part le premier avion ?

— A six heures, ce soir. Il va à Francfort.

— Bien. Je le prendrai.

On m'apporta mon billet pendant que Jim appelait Long Island pour moi.

— Papa ?

— Will ! Comment vas-tu, mon fils ?

— Bien, Papa. Je suis libre !

— Oui, tu as réussi, me dit-il d'une voix haletante de joie. Je te passe ta mère.

J'entendis la voix de ma mère pour la première fois depuis cinq ans.

— Maman !

— Billy ! C'est merveilleux de t'entendre ! Nous nous sommes fait tellement de souci pour toi.

— C'est fini maintenant, Maman. Tout est terminé.

— Oh Billy. Je ne peux même plus parler !

— Ce n'est pas nécessaire, dis-je en riant. Je te sens à travers le téléphone. Tu m'as beaucoup manqué.

— Quand seras-tu à la maison ?

— Dès que je le pourrai. Je veux juste dormir un peu et me laver ; je suis vraiment très sale et épuisé.

— D'accord. Sois prudent.

— Oui, Maman. Embrasse tout le monde pour moi et dis à Lily que je vais bien.

— Je le ferai. Je te repasse ton père.

— Will ?

— Oui, Papa.

— Que dois-je faire ? Les journalistes et les reporters de la télévision m'ont appelé : ils veulent avoir la date et l'heure de ton arrivée.

Je me dis alors que je n'étais peut-être pas prêt pour cela. Comment allais-je me sentir à New York après cinq ans d'absence ? J'étais différent maintenant, j'avais besoin de reprendre mon souffle.

— Papa, j'ai un billet pour Francfort. J'ai besoin de deux jours pour me réhabituer à la liberté, pour me préparer à retrouver Maman et toute la famille.

— Bien sûr, Bill. Quand penses-tu être à la maison ?

— Très vite. Vendredi probablement.

— D'accord. Préviens-nous. Et sois prudent : tu n'es pas encore rentré.

— Ne t'inquiète pas, Papa. Je t'appellerai pour te prévenir de l'heure d'arrivée. Papa ? ajoutai-je après un silence.

— Oui ?

— Merci...

***

La police ne me lâcha pas jusqu'à mon départ. Nous rentrâmes à la prison jusqu'à l'heure de l'avion puis partîmes pour l'aéroport. Il était cinq heures. Le douanier s'apprêtait à tamponner mon passeport.

— William Hayes, appela une voix douce au haut-parleur. Un appel pour William Hayes. Téléphone.

C'était Jim.

— Billy, le Département d'État vient de me prévenir que l'Allemagne de l'Ouest a un accord d'extradition avec la Turquie. La police risque de t'attendre à l'aéroport de Francfort.

— Mon dieu !... Que dois-je faire ?

— Bill, reste une nuit de plus. Tu prendras un vol direct demain, Athènes-New York.

Une nuit de plus signifiait dormir en prison, et cela m'était insupportable.

— Suis-je obligé de rester ?

— Non. Je suppose que si tu ne passes pas la douane à Francfort, tout ira bien.

— Bien. Je ferai attention.

L'avion décolla. Je ne regardai pas derrière moi.

Après l'atterrissage à Francfort, je restai dans la salle de transit pour éviter la douane. Il y avait là un guichet et je demandai où allait le prochain avion. Il décollait quarante minutes plus tard pour Amsterdam.

J'achetai *Play-Boy* ; je le feuilletai et le refermai immédiatement. Que de changements intervenus depuis cinq ans !

A Amsterdam, un douanier à cheveux longs tamponna mon passeport et me fit signe de passer. Je pris le bus qui me déposa en ville, comme n'importe quel homme libre. Je trouvai un hôtel, près d'un canal. De là, je passai un coup de téléphone chez moi : je dis à mes parents que je serais à New York le vendredi. Mon père m'annonça qu'il y aurait une conférence de presse à l'aéroport.

Au bar de l'hôtel, des gens buvaient en bavardant gaiement. La musique qu'ils choisissaient au juke-box m'était inconnue. Une superbe serveuse m'apporta une bière que je bus, avant de manger deux glaces à la fraise.

Puis je pris une longue douche, effaçant ainsi cinq années de crasse, et m'allongeai dans des draps tout frais. Tout avait l'air d'un rêve. J'avais la vie devant moi, et elle me semblait éternelle...

Je plongeai dans un sommeil bienheureux et fus réveillé, à trois heures du matin, par mon propre rire.

ÉPILOGUE

Mon avion arriva à l'aéroport international Kennedy le 24 octobre 1975. Je fus accueilli par mon père et mon frère Rob, ainsi que par mon avocat Mike Griffith. Ma mère et Peg étaient restées à la maison. Elles préféraient me retrouver dans l'intimité.

Nous descendîmes tous les quatre dans la salle de conférence de la Pan Am pour recevoir la presse. Je gardai un bras autour des épaules de mon père pour répondre aux questions des journalistes. Il me fut très facile de sourire aux caméras.

J'occupai la semaine suivante à retrouver ma famille et mes amis, à manger des pizzas et des cheeseburgers, des milk-shakes et du homard. Je parcourus New York en tous sens, plein de curiosité ; je fis du vélo sur les petites routes autour de North Babylon ; et je retournai pour la première fois au cinéma où je vis *Les dents de la mer*.

Puis je pris contact avec plusieurs agents littéraires, directeurs de maisons d'édition et producteurs de cinéma : le livre est le résultat de ces entrevues. C'est avec l'avance qu'il m'a rapportée que j'ai pu rembourser la seconde hypothèque que mon père avait prise sur notre maison et envoyer mes parents en vacances en Californie. Je rembourse maintenant l'emprunt que j'ai contracté pendant mes études, puis je rendrai à mon père l'argent qui a servi à payer mes avocats turcs et mon voyage de retour. Maintenant que ce livre est écrit, j'ai l'intention de me lancer dans les affaires.

Lillian se trouvait dans les montagnes de Colombie britannique au moment de mon évasion et n'apprit mon retour que deux semaines plus tard. Nous eûmes de bons moments ensemble, mais nous comprîmes vite que l'image que nous nous étions faite l'un de l'autre ne correspondait pas à la réalité. Lillian partit pour l'Europe ; elle voyage actuellement en Asie.

Johann est rentré d'Afghanistan et vit toujours à Istanbul.

Arne a formé un orchestre. Ils ont équipé un vieux bus anglais à impériale et sont partis vers l'Inde.

Charles est rentré à Chicago, où il essaie de faire éditer ses poèmes.

Popeye vit en Israël.

Max a fini de purger sa peine quelques mois après mon évasion.

Je n'ai plus jamais eu de nouvelles de Joey.

Harvey Bell, Robert Hubbard, Kathy Zenz et Jo Ann McDaniel sont toujours en prison en Turquie. *Getchmis olsun*, puisse le temps passer rapidement pour eux.

Billy Hayes
5 août 1976.

Achevé d'imprimer
le 20.1.87
par printer industria
gráfica s.a.
c.n. II, cuatro caminos, s/n
08620 sant vicenç dels horts
barcelona 1986
Depósito Legal B. 43343-1986
Pour le compte de
France Loisirs
123, Boulevard de Grenelle
Paris

Numéro d'éditeur: 12209
Dépôt légal: fevrier 1987
Imprimé en Espagne